하루 한 장 75일

# 교과 연산

KB087425

# D1

초4 곱셈과 나눗셈

# 변화를 정확히 이해해야 합니다.

수학의 기본이면서 이제는 필수가 된 연산 학습, 그런데 왜 우리 아이들은 많은 학습지를 풀고도 학교에 가면 연산 문제를 해결하지 못할까요?

지금 우리 아이들이 학습하는 교과서는 과거와는 많이 다릅니다. 단순 계산력을 확인하는 문제 대신 다양한 상황을 제시하고 상황에 맞게 문제를 해결하는 과정을 평가합니다. 그래서 단순히 계산하여 답을 내는 것보다 문장을 이해하고 상황을 판단하여 스스로 식을 세우고 문제를 해결하는 복합적인 사고 과정이 필요합니다.

그림을 보고 상황을 판단하는 능력, 그림을 보고 상황을 말로 표현하는 능력, 문장을 이해하는 능력 등 상황 판단 능력을 길러야 하는 이유입니다.

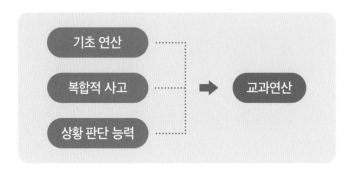

연산 원리를 학습함에 있어서도 대표적인 하나의 풀이 방법을 공식처럼 외우기만 해서는 지금의 연산 문제를 해결하기 어렵습니다. 연산 학습과 함께 다양한 방법으로 수를 분해하고 결합하는 과정, 즉 수 자체에 대한 학습도 병행되어야 합니다.

교과연산은 연산 학습과 함께 수 자체를 온전히 학습할 수 있도록 단계마다 '수특강'을 구성하고 있습니다.

계산은 문제를 해결하는 하나의 과정으로서의 의미가 큽니다.

학교에서 배우게 될 내용과 직접적으로 관련이 있는 교과연산으로 가장 먼저 시작하기를 추천드립니다.

요즘 연산은 교과 연산입니다.

## "계산은 그 자체가 목적이 아닙니다. 문제를 해결하는 하나의 과정입니다."

# 하루 **한** 장, **75**일에 완성하는 **교과연산**

한 단계는 총 4권으로 수를 학습하는 0권과 연산을 학습하는 1권, 2권, 3권으로 구성되어 있습니다.

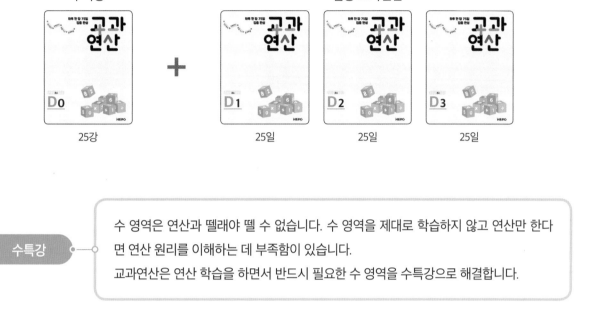

수 영역은 연산과 뗄래야 뗄 수 없습니다. 수 영역을 제대로 학습하지 않고 연산만 한다면 연산 원리를 이해하는 데 부족함이 있습니다.
교과연산은 연산 학습을 하면서 반드시 필요한 수 영역을 수특강으로 해결합니다.

기초 연산도 합니다. 연산 원리를 이해하고 계산 연습도 합니다. 그에 더해서 교과연산은 다양한 상황 문제를 제시하여 상황에 맞는 식을 세우고 문제를 해결하는 상황 판단 능력을 길러줍니다.

**"연산을 이해하기 위해서는 수를 먼저 이해해야 합니다."**

# 원리는 기본, 복합적 사고 문제까지 다루는 교과연산

### 원리
수와 연산의 원리를
이해하고 연습합니다.

### 복합적 사고
연산 원리를 이용하여
다양한 소재의 복합적
문제를 해결합니다.

### 상황 판단 문제
문장 이해력을 기르고
상황에 맞는 식을 세워
문제를 해결합니다.

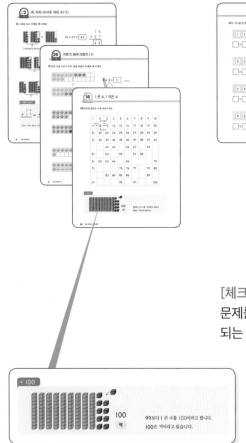

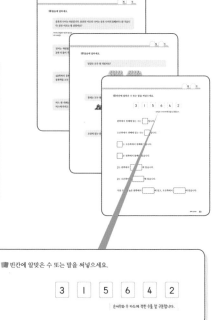

[체크 박스]
문제를 해결하는 데 도움이
되는 방향을 제시합니다.

[개념 포인트]
꼭 필요한 기본 개념을
설명합니다.

"교과연산은 꼬이고 꼬인 어려운 연산이 아닙니다.
일상 생활 속에서 상황을 판단하는 능력을 길러주는 연산입니다."

# 하루 **한** 장, 75일 집중 완성 교과연산 **묻고 답하기** Q & A

## Q1 왜 교과연산인가요?

지금의 교과서는 과거의 교과서와는 많이 다릅니다. 하지만 아쉽게도 기존의 연산학습지는 과거의 연산 학습 방법을 그대로 답습하고 변화를 제대로 반영하지 못하고 있습니다. 교과연산은 교과서의 변화를 정확히 이해하고 체계적으로 학습을 할 수 있도록 안내합니다.

## Q2 다른 연산 교재와 어떻게 다른가요?

교과연산은 변화된 교과서의 핵심 내용인 상황 판단 능력과 복합적 사고력을 길러주는 최신 연산 프로그램입니다. 또한 연산 학습의 바탕이 되는 '수'를 수특강으로 다루고 있어 수학의 기본이 되는 연산학습을 체계적으로 학습할 수 있습니다.

## Q3 학교 진도와는 맞나요?

네, 교과연산은 학교 수업 진도와 최신 개정된 교과 단원에 맞추어 개발하였습니다.

## Q4 단계 선택은 어떻게 해야 할까요?

권장 연령의 학습을 추천합니다.
다만, 처음 교과 연산을 시작하는 학생이라면 한 단계 낮추어 시작하는 것도 좋습니다.

## Q5 '수특강'을 먼저 해야 하나요?

'수특강'을 가장 먼저 학습하는 것을 권장합니다. P단계를 예로 들어보면 P0(수특강)을 먼저 학습한 후 차례대로 P1~P3 학습을 진행합니다. '수특강'은 각 단계의 연산 원리와 개념을 정확하게 이해하고 상황 문제를 해결하는 데 디딤돌이 되어줄 것입니다.

# 이 책의 차례

# 1주차 세 자리 수 곱셈

📖 빈칸에 알맞은 수를 써넣으세요.

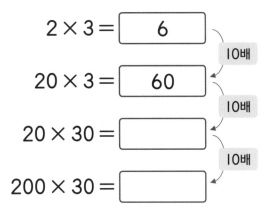

$2 \times 3 =$ 6

$20 \times 3 =$ 60

10배

$20 \times 30 =$

10배

$200 \times 30 =$

10배

$4 \times 6 =$

$40 \times 6 =$

10배

$400 \times 6 =$

10배

$400 \times 60 =$

10배

$7 \times 9 =$

$70 \times 9 =$

10배

$70 \times 90 =$

10배

$700 \times 90 =$

10배

$8 \times 5 =$

$80 \times 5 =$

10배

$800 \times 5 =$

10배

$800 \times 50 =$

10배

★ (몇백)×(몇십)

몇백 또는 몇십이 있는 곱셈은 (몇)×(몇)의 값에 곱하는 두 수의 0의 개수만큼 0을 더 붙입니다.

$2 \times 4 = 8$          $6 \times 5 = 30$

$20 \times 4 = 80$        $60 \times 50 = 3000$

$200 \times 40 = 8000$    $600 \times 50 = 30000$

■ 계산 결과에 맞게 이어 보세요.

· 270

300 × 9 ·

· 2700

300 × 90 ·

· 27000

70 × 5 ·

· 35000

· 3500

700 × 50 ·

· 350

· 20000

50 × 40 ·

· 2000

500 × 40 ·

· 200

600 × 5 ·

· 3000

· 30000

600 × 50 ·

· 300000

· 160

80 × 20 ·

· 1600

400 × 40 ·

· 16000

600 × 3 ·

· 1800

· 18000

900 × 20 ·

· 180000

🗂 그림을 보고 곱셈을 해 보세요.

$630 \times 2 =$ 1260

$630 \times 20 =$ 12600

어떤 수를 10배 하면 어떤 수 끝에 0이 하나 더 늘어납니다.

$350 \times 3 =$ ☐

$350 \times 30 =$ ☐

$284 \times 3 =$ ☐

$284 \times 30 =$ ☐

$738 \times 2 =$ ☐

$738 \times 20 =$ ☐

📖 계산해 보세요.

$460 \times 6 =$ ⬜　　　　$320 \times 5 =$ ⬜

$460 \times 60 =$ ⬜　　　　$320 \times 50 =$ ⬜

$507 \times 3 =$ ⬜　　　　$291 \times 8 =$ ⬜

$507 \times 30 =$ ⬜　　　　$291 \times 80 =$ ⬜

$$\begin{array}{r} 5\ 4\ 0 \\ \times\quad 4 \\ \hline \end{array}$$　　$$\begin{array}{r} 5\ 4\ 0 \\ \times\quad 4\ 0 \\ \hline \end{array}$$　　$$\begin{array}{r} 1\ 3\ 8 \\ \times\quad 7 \\ \hline \end{array}$$　　$$\begin{array}{r} 1\ 3\ 8 \\ \times\quad 7\ 0 \\ \hline \end{array}$$

⭐ (세 자리 수)×(몇십)

$$\begin{array}{r} 3\ 7\ 0 \\ \times\quad 6\ 0 \\ \hline \end{array}$$ ➡ $$\begin{array}{r} 3\ 7\ 0 \\ \times\quad 6\ 0 \\ \hline 0 \end{array}$$ ➡ $$\begin{array}{r} {}^{4}\ \ \ \\ 3\ 7\ 0 \\ \times\quad 6\ 0 \\ \hline 2\ 2\ 2\ 0\ 0 \end{array}$$

$370 \times 0 = 0$　　$370 \times 6 = 2220$

370×60은 370×6의
10배이므로 결과값의 끝에
0이 하나 더 붙습니다.

빈칸에 알맞은 수를 써넣으세요.

$285 \times 30 = \boxed{8550}$

$285 \times 4 = \boxed{1140}$

➡

$285 \times 34 = \boxed{8550} + \boxed{1140}$

$= \boxed{\phantom{0000}}$

285×34는 285를 34번 더하는 것이므로 285를 30번 더한 값과 285를 4번 더한 값을 합한 것과 같습니다.

$430 \times 50 = \boxed{\phantom{0000}}$

$430 \times 5 = \boxed{\phantom{0000}}$

➡

$430 \times 55 = \boxed{\phantom{0000}} + \boxed{\phantom{0000}}$

$= \boxed{\phantom{0000}}$

$346 \times 20 = \boxed{\phantom{0000}}$

$346 \times 3 = \boxed{\phantom{0000}}$

➡

$346 \times 23 = \boxed{\phantom{0000}} + \boxed{\phantom{0000}}$

$= \boxed{\phantom{0000}}$

$824 \times 10 = \boxed{\phantom{0000}}$

$824 \times 6 = \boxed{\phantom{0000}}$

➡

$824 \times 16 = \boxed{\phantom{0000}} + \boxed{\phantom{0000}}$

$= \boxed{\phantom{0000}}$

$617 \times 40 = \boxed{\phantom{0000}}$

$617 \times 8 = \boxed{\phantom{0000}}$

➡

$617 \times 48 = \boxed{\phantom{0000}} + \boxed{\phantom{0000}}$

$= \boxed{\phantom{0000}}$

■ 빈칸에 알맞은 수를 써넣으세요.

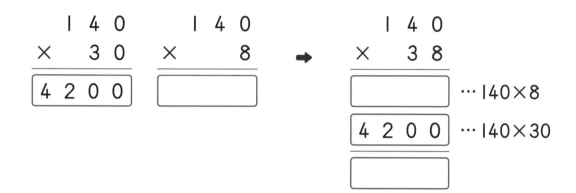

$$
\begin{array}{r}
1\ 4\ 0 \\
\times\quad 3\ 0 \\
\hline
\boxed{4\ 2\ 0\ 0}
\end{array}
\qquad
\begin{array}{r}
1\ 4\ 0 \\
\times\quad\ \ 8 \\
\hline
\boxed{\phantom{0000}}
\end{array}
\qquad\Rightarrow\qquad
\begin{array}{r}
1\ 4\ 0 \\
\times\quad 3\ 8 \\
\hline
\boxed{\phantom{0000}} \cdots 140\times8 \\
\boxed{4\ 2\ 0\ 0} \cdots 140\times30 \\
\hline
\boxed{\phantom{0000}}
\end{array}
$$

$$
\begin{array}{r}
5\ 2\ 6 \\
\times\quad 2\ 0 \\
\hline
\boxed{\phantom{0000}}
\end{array}
\qquad
\begin{array}{r}
5\ 2\ 6 \\
\times\quad\ \ 3 \\
\hline
\boxed{\phantom{0000}}
\end{array}
\qquad\Rightarrow\qquad
\begin{array}{r}
5\ 2\ 6 \\
\times\quad 2\ 3 \\
\hline
\boxed{\phantom{0000}} \cdots 526\times\boxed{\ } \\
\boxed{\phantom{0000}} \cdots 526\times20 \\
\hline
\boxed{\phantom{0000}}
\end{array}
$$

$$
\begin{array}{r}
4\ 0\ 9 \\
\times\quad 4\ 0 \\
\hline
\boxed{\phantom{0000}}
\end{array}
\qquad
\begin{array}{r}
4\ 0\ 9 \\
\times\quad\ \ 6 \\
\hline
\boxed{\phantom{0000}}
\end{array}
\qquad\Rightarrow\qquad
\begin{array}{r}
4\ 0\ 9 \\
\times\quad 4\ 6 \\
\hline
\boxed{\phantom{0000}} \cdots 409\times6 \\
\boxed{\phantom{0000}} \cdots 409\times\boxed{\ } \\
\hline
\boxed{\phantom{0000}}
\end{array}
$$

# 04 두 수의 곱

📘 계산해 보세요.

```
    1 8 0              5 0 5              3 8 1
  ×    6 1           ×    3 8          ×    7 2
```

```
    2 7 0              8 1 3              5 4 3
  ×    4 5           ×    2 7          ×    5 2
```

338 × 53                      530 × 62

306 × 81                      293 × 56

★ **(세 자리 수)×(몇십몇)**

```
    1 8 2        1 8 2            1 8 2            1 8 2
  ×   3 0      ×     5    ➡    ×   3 5    ➡    ×   3 5   ← 30+5
  5 4 6 0        9 1 0            9 1 0            9 1 0   ← 182×5
                                5 4 6 0          5 4 6    ← 182×30
                                6 3 7 0          6 3 7 0
```

실제 계산을 할 때는 계산상 편리함을 위해 일의 자리에 0의 표시를 생략합니다.
546은 5460에서 0이 생략된 182×30의 결과입니다.

■ 곱셈식을 잘못 계산하였습니다. 바르게 계산해 보세요.

$$
\begin{array}{r}
4\ 0\ 0 \\
\times\ \ \ 5\ 0 \\
\hline
2\ 0\ 0\ 0
\end{array}
$$

➡

$$
\begin{array}{r}
4\ 0\ 0 \\
\times\ \ \ 5\ 0 \\
\hline
\end{array}
$$

$$
\begin{array}{r}
1\ 5\ 2 \\
\times\ \ \ 7\ 5 \\
\hline
7\ 6\ 0 \\
1\ 0\ 6\ 4 \\
\hline
1\ 8\ 2\ 4
\end{array}
$$

➡

$$
\begin{array}{r}
1\ 5\ 2 \\
\times\ \ \ 7\ 5 \\
\hline
\end{array}
$$

$$
\begin{array}{r}
2\ 6\ 0 \\
\times\ \ \ 5\ 4 \\
\hline
1\ 0\ 4\ 0 \\
1\ 3\ 0\ 0 \\
\hline
2\ 3\ 4\ 0
\end{array}
$$

➡

$$
\begin{array}{r}
2\ 6\ 0 \\
\times\ \ \ 5\ 4 \\
\hline
\end{array}
$$

# 큰 수, 작은 수

🔖 가장 큰 수와 가장 작은 수의 곱을 구해 보세요.

| 30 | 50 | 700 | 600 |

(          )

| 230 | 320 | 90 | 80 |

(          )

| 57 | 54 | 408 | 480 |

(          )

| 615 | 26 | 643 | 32 |

(          )

| 45 | 307 | 47 | 313 |

(          )

| 582 | 87 | 493 | 73 |

(          )

수 카드를 한 번씩만 사용하여 가장 작은 세 자리 수와 가장 큰 두 자리 수를 만듭니다.
만든 두 수로 곱셈식을 만들고 계산해 보세요.

| 5 | 4 |
| 3 | 2 | 1 |

$$\boxed{123} \times \boxed{54} = \underline{\qquad}$$

가장 작은 세 자리 수: 123
가장 큰 두 자리 수: 54

| 3 | 1 |
| 6 | 7 | 4 |

$$\boxed{\phantom{00}} \times \boxed{\phantom{0}} = \underline{\qquad}$$

| 2 | 4 |
| 6 | 8 | 9 |

$$\boxed{\phantom{00}} \times \boxed{\phantom{0}} = \underline{\qquad}$$

| 1 | 5 |
| 2 | 4 | 6 |

$$\boxed{\phantom{00}} \times \boxed{\phantom{0}} = \underline{\qquad}$$

| 3 | 7 |
| 5 | 4 | 2 |

$$\boxed{\phantom{00}} \times \boxed{\phantom{0}} = \underline{\qquad}$$

| 6 | 2 |
| 5 | 8 | 3 |

$$\boxed{\phantom{00}} \times \boxed{\phantom{0}} = \underline{\qquad}$$

📖 왼쪽 곱셈식과 계산 결과가 같은 것에 ○표 하세요.

**600 × 90**

| 900 × 60 | 800 × 80 | 700 × 80 |

**800 × 30**

| 500 × 50 | 700 × 40 | 600 × 40 |

**270 × 40**

| 470 × 20 | 400 × 27 | 370 × 30 |

**350 × 72**

| 370 × 52 | 320 × 75 | 720 × 35 |

**240 × 25**

| 120 × 50 | 245 × 20 | 200 × 65 |

# 2주차 곱셈의 활용

📘 물음에 답하세요.

수민이는 500원짜리 동전을 27개 가지고 있습니다. 수민이가 가진 돈은 모두 얼마일까요?

식 _____  답 _____ 원

달걀이 한 판에 30개 들어 있습니다. 달걀 245판에 들어 있는 달걀은 모두 몇 개일까요?

식 _____  답 _____ 개

당근이 100g당 378원입니다. 당근 2kg은 얼마일까요?

1kg은 1000g입니다.

식 _____  답 _____ 원

■ 물음에 답하세요.

연수는 문구점에서 630원짜리 색연필을 15자루 샀습니다. 색연필의 값은 모두 얼마일까요?

식 _____    답 _____ 원

밭에서 감자를 수확하여 한 자루에 147개씩 63자루에 담았습니다. 자루에 담은 감자는 모두 몇 개일까요?

식 _____    답 _____ 개

오징어 한 축은 20마리입니다. 오징어 436축이 있다면 오징어는 모두 몇 마리일까요?

식 _____    답 _____ 마리

주한이는 8월 한 달 동안 매일 줄넘기를 185번씩 넘었습니다. 주한이는 한 달 동안 줄넘기를 모두 몇 번 넘었을까요?

식 _____    답 _____ 번

🔹 물음에 답하세요.

고구마는 한 자루에 **200**개씩 **36**자루가 있고, 무는 한 자루에 **148**개씩 **50**자루가 있습니다. 고구마와 무 중 더 많은 것은 무엇일까요?

(          )

책상 **1**개를 만드는 데 못이 **42**개, 의자 **1**개를 만드는 데 못이 **16**개 필요합니다. 책상 **160**개와 의자 **400**개를 만들었습니다. 책상과 의자 중 못을 더 많이 사용한 것은 무엇일까요?

(          )

공원 산책길 한 바퀴는 **350**m입니다. 두호는 산책길을 **13**바퀴 걸었고, 민아는 **17**바퀴 걸었습니다. 민아는 두호보다 몇 m 더 걸었을까요?

(          )

사탕은 한 상자에 **181**개씩 **50**상자가 있고, 초콜릿은 한 상자에 **240**개씩 **38**상자가 있습니다. 사탕과 초콜릿 중 더 많은 것은 무엇이고, 몇 개 더 많을까요?

(       ,       )

■ 물음에 답하세요.

남학생이 165명, 여학생이 142명 있습니다. 학생들에게 연필을 20자루씩 나누어 주었습니다. 학생들에게 나누어 준 연필은 모두 몇 자루일까요?

학생들이 모두 몇 명인지 구합니다.                                    (                    )

감자 25개와 고구마 15개를 한 상자에 담았습니다. 242상자에 담은 감자와 고구마는 모두 몇 개일까요?

(                    )

볼펜은 1자루에 300원, 색연필은 1자루에 450원입니다. 볼펜과 색연필을 각각 33자루씩 산다면 지불해야 할 돈은 몇 원일까요?

(                    )

윤호는 1년 동안 매일 오전에 15분, 오후에 20분씩 걷기 운동을 했습니다. 1년을 365일로 계산한다면 윤호가 1년 동안 걷기 운동을 한 시간은 모두 몇 분일까요?

(                    )

# 식 세워 해결하기 (1)

📖 물음에 답하세요.

은수는 매일 우유를 120mL씩 3번 마십니다. 은수가 30일 동안 마시는 우유는 모두 몇 mL인지 표를 완성해 보세요.

| | 식 | 우유 양 |
|---|---|---|
| 하루에 마시는 우유 | 120×3=360 | 360 mL |
| 30일 동안 마시는 우유 | | mL |

농장에 닭이 150마리 있습니다. 닭이 매일 달걀을 2개씩 낳는다면 25일 동안 낳는 달걀은 모두 몇 개인지 표를 완성해 보세요.

| | 식 | 달걀 수 |
|---|---|---|
| 하루에 낳는 달걀 | | 개 |
| 25일 동안 낳는 달걀 | | 개 |

📖 물음에 답하세요.

현준이는 매일 줄넘기를 100번씩 2번 넘습니다. 현준이는 45일 동안 줄넘기를 모두 몇 번 넘을까요?

하루에 줄넘기를 100×2=200(번) 넘습니다.

(                    )

밭에서 감자를 수확하는 데 한 번에 230개씩 하루에 3번 수확합니다. 14일 동안 수확한 감자는 모두 몇 개일까요?

(                    )

다현이네 반 학생 30명이 매일 책을 16쪽씩 읽습니다. 다현이네 반 학생들이 30일 동안 읽는 책은 모두 몇 쪽일까요?

(                    )

1시간은 60분, 1분은 60초입니다. 12시간은 몇 초일까요?

(                    )

📖 물음에 답하세요.

식용유와 우유를 각각 15숟가락씩 버렸다면 오염된 물을 정화하는 데 필요한 물의 양은 모두 몇 L인지 표를 완성하고 답을 구해 보세요.

**오염된 물을 정화하는 데 필요한 물의 양**

| 식용유 한 숟가락 | 202L |
|---|---|
| 우유 한 숟가락 | 281L |

| | 식 | 물의 양 |
|---|---|---|
| 식용유 | 202×15=3030 | 3030 L |
| 우유 | | L |

식용유를 정화하는 데 필요한 물의 양과
우유를 정화하는 데 필요한 물의 양을 더합니다.

( )L

태양계에서 목성과 토성이 각각 태양 주위를 120바퀴 도는 데는 토성이 목성보다 몇 년 더 걸리는지 표를 완성하고 답을 구해 보세요.

태양 주위를 한 바퀴 도는 데 목성은 12년, 토성은 30년 걸립니다.

| | 식 | 걸리는 시간 |
|---|---|---|
| 목성 | | 년 |
| 토성 | | 년 |

( )년

📖 물음에 답하세요.

어른 **23**명과 어린이 **35**명이 박물관에 입장한다면 입장료가 모두 얼마인지 표를 완성하고 답을 구해 보세요.

박물관 입장료

| 어른 | 600원 |
|---|---|
| 어린이 | 350원 |

| | 식 | 입장료 |
|---|---|---|
| 어른 | | 원 |
| 어린이 | | 원 |

(          )원

싱가포르 돈과 중국 돈을 한국 돈으로 바꾸는 가격입니다. 싱가포르 돈 **30**달러와 중국 돈 **38**위안을 한국 돈으로 바꾸면 모두 얼마일까요?

| 싱가포르 돈 **1**달러 | 한국 돈 850원 |
|---|---|
| 중국 돈 **1**위안 | 한국 돈 **170**원 |

| | 식 | 한국 돈 |
|---|---|---|
| 싱가포르 | | 원 |
| 중국 | | 원 |

(          )원

📘 똑같은 두 수의 곱입니다. 표를 이용하여 두 수를 구해 보세요.

두 수의 곱: 1024

| 두 수 | 30 | 31 | 32 | 33 |
|---|---|---|---|---|
| | 30 | 31 | 32 | 33 |
| 두 수의 곱 | 900 | | | |

( , )

30×30=900, 40×40=1600
1024와 가까운 (몇십)×(몇십)부터 찾습니다.

두 수의 곱: 3969

| 두 수 | | | | |
|---|---|---|---|---|
| 두 수의 곱 | | | | |

( , )

두 수의 곱: 2304

| 두 수 | | | | |
|---|---|---|---|---|
| 두 수의 곱 | | | | |

( , )

(몇십)×(몇십)에서 곱하는 두 수를 1씩 줄여갑니다.

표를 이용하여 두 수를 구해 보세요.

펼쳐진 책의 두 쪽수를 곱하였더니 **552**입니다. 두 쪽수를 구해 보세요.

| 왼쪽 수 | 20 | | | |
|---|---|---|---|---|
| 오른쪽 수 | 21 | | | |
| 두 수의 곱 | 420 | | | |

( 쪽, 쪽)

두 쪽수는 서로 이웃한 수입니다.

펼쳐진 책의 두 쪽수를 곱하였더니 **2756**입니다. 두 쪽수를 구해 보세요.

| 왼쪽 수 | | | | |
|---|---|---|---|---|
| 오른쪽 수 | | | | |
| 두 수의 곱 | | | | |

( 쪽, 쪽)

형과 동생의 나이 차는 2살입니다. 형과 동생의 나이를 곱하면 **288**입니다. 형과 동생의 나이를 각각 구해 보세요.

| 형 | | | | |
|---|---|---|---|---|
| 동생 | | | | |
| 두 수의 곱 | | | | |

형: ( )살

동생: ( )살

📖 물음에 답하세요.

> 똑같은 두 수의 곱이 1444입니다. 두 수는 각각 얼마일까요?

( , )

> 펼쳐진 책의 두 쪽수를 곱하였더니 1806입니다. 두 쪽수는 각각 몇 쪽일까요?

( 쪽, 쪽)

> 펼쳐진 책의 두 쪽수를 곱하였더니 3306입니다. 두 쪽수는 각각 몇 쪽일까요?

( 쪽, 쪽)

> 아버지와 어머니의 나이 차는 3살입니다. 아버지와 어머니의 나이를 곱하면 1638입니다. 아버지와 어머니의 나이는 각각 몇 살일까요? (단, 아버지는 어머니보다 나이가 많습니다.)

아버지: ( )살    어머니: ( )살

🟦 빈칸에 알맞은 수를 써넣으세요.

$$30 \times \boxed{5} = 150 \quad \Rightarrow \quad 150 \div 30 = \boxed{\phantom{0}}$$

30×1=30, 30×2=60 ······ 30×5=150

$$\begin{array}{r} \boxed{5} \\ 30\,)\,\overline{1\ 5\ 0} \\ \hline \boxed{\phantom{000}} \\ \hline \boxed{\phantom{0}} \end{array}$$

$$40 \times \boxed{\phantom{0}} = 320 \quad \Rightarrow \quad 320 \div 40 = \boxed{\phantom{0}}$$

$$\begin{array}{r} \boxed{\phantom{0}} \\ 40\,)\,\overline{3\ 2\ 0} \\ \hline \boxed{\phantom{000}} \\ \hline \boxed{\phantom{0}} \end{array}$$

$$60 \times \boxed{\phantom{0}} = 420 \quad \Rightarrow \quad 420 \div 60 = \boxed{\phantom{0}}$$

$$\begin{array}{r} \boxed{\phantom{0}} \\ 60\,)\,\overline{4\ 2\ 0} \\ \hline \boxed{\phantom{000}} \\ \hline \boxed{\phantom{0}} \end{array}$$

### ★ 곱셈과 나눗셈의 관계

나누는 수와 몫의 곱은 나누어지는 수와 같거나 더 작아야 합니다.

$$\begin{array}{r} 6 \\ 20\,)\,\overline{1\ 2\ 0} \\ \underline{1\ 2\ 0} \\ 0 \end{array}$$

$20 \times 6 = 120$

$$\begin{array}{r} 6 \\ 20\,)\,\overline{1\ 3\ 5} \\ \underline{1\ 2\ 0} \\ 1\ 5 \end{array}$$

$20 \times 6 = 120$
$120 + 15 = 135$

$$\begin{array}{r} 7 \\ 20\,)\,\overline{1\ 3\ 5} \\ \underline{1\ 4\ 0}\ _{(\times)} \end{array}$$

나누는 수와 몫의 곱은 나누어
지는 수보다 크면 안됩니다.

$$\begin{array}{r} 5 \\ 20\,)\,\overline{1\ 3\ 5} \\ \underline{1\ 0\ 0} \\ 3\ 5\ _{(\times)} \end{array}$$

나머지는 나누는 수
보다 작아야 합니다.

📖 빈칸에 알맞은 수를 써넣으세요.

$$20 \times \boxed{6} = 120$$
$$20 \times \boxed{7} = 140$$
$$20 \times \boxed{8} = 160$$

➡️

$$20\overline{)143}$$ 몫 $\boxed{7}$

143은 20×7과 20×8 사이에 있습니다.

$$143 \div 20 = \boxed{\phantom{0}} \cdots \boxed{\phantom{0}}$$

$$50 \times \boxed{\phantom{0}} = 250$$
$$50 \times \boxed{\phantom{0}} = 300$$
$$50 \times \boxed{\phantom{0}} = 350$$

➡️

$$50\overline{)305}$$

$$305 \div 50 = \boxed{\phantom{0}} \cdots \boxed{\phantom{0}}$$

$$30 \times \boxed{\phantom{0}} = 210$$
$$30 \times \boxed{\phantom{0}} = 240$$
$$30 \times \boxed{\phantom{0}} = 270$$

➡️

$$30\overline{)258}$$

$$258 \div 30 = \boxed{\phantom{0}} \cdots \boxed{\phantom{0}}$$

$$70 \times \boxed{\phantom{0}} = 210$$
$$70 \times \boxed{\phantom{0}} = 280$$
$$70 \times \boxed{\phantom{0}} = 350$$

➡️

$$70\overline{)321}$$

$$321 \div 70 = \boxed{\phantom{0}} \cdots \boxed{\phantom{0}}$$

## 몇십몇으로 나누기

📖 빈칸에 알맞은 수를 써넣으세요.

$15 \times 3 = \boxed{45}$

$15 \times 4 = \boxed{\phantom{00}}$

$15 \times 5 = \boxed{\phantom{00}}$

➡

$$15\,\overline{)\,60} \quad \boxed{4}$$

$60 \div 15 = \boxed{\phantom{0}}$

---

$26 \times 2 = \boxed{\phantom{00}}$

$26 \times 3 = \boxed{\phantom{00}}$

$26 \times 4 = \boxed{\phantom{00}}$

➡

$$26\,\overline{)\,82}$$

나누는 수와 몫의 곱은 82보다 클 수 없습니다.

$82 \div 26 = \boxed{\phantom{0}} \cdots \boxed{\phantom{0}}$

---

$35 \times 4 = \boxed{\phantom{00}}$

$35 \times 5 = \boxed{\phantom{00}}$

$35 \times 6 = \boxed{\phantom{00}}$

➡

$$35\,\overline{)\,175}$$

$175 \div 35 = \boxed{\phantom{0}}$

---

$21 \times 7 = \boxed{\phantom{00}}$

$21 \times 8 = \boxed{\phantom{00}}$

$21 \times 9 = \boxed{\phantom{00}}$

➡

$$21\,\overline{)\,188}$$

$188 \div 21 = \boxed{\phantom{0}} \cdots \boxed{\phantom{00}}$

빈칸에 알맞은 수를 써넣으세요.

| 11 ) 77 | 23 ) 92 | 16 ) 80 | 13 ) 78 |

| 32 ) 99 | 14 ) 76 | 27 ) 65 | 19 ) 81 |

| 15 ) 120 | 22 ) 154 | 18 ) 102 |

| 34 ) 220 | 43 ) 400 | 47 ) 262 |

# 몫이 한 자리 수인 나눗셈

🗂 계산해 보세요.

$21\overline{)63}$　　　　$13\overline{)82}$　　　　$15\overline{)85}$　　　　$26\overline{)64}$

$60\overline{)500}$　　　　　　$25\overline{)185}$　　　　　　$29\overline{)163}$

$90 \div 17$　　　　　　　　$84 \div 26$

$100 \div 23$　　　　　　　$140 \div 18$

$131 \div 24$　　　　　　　$223 \div 35$

📘 계산을 하고 결과를 확인해 보세요.

$12 \overline{\smash{)}67}$

확인

$12 \times 5 = 60$

$60 + 7 = 67$

$18 \overline{\smash{)}71}$

확인

$24 \overline{\smash{)}170}$

확인

$42 \overline{\smash{)}268}$

확인

# 몫과 나머지

📘 몫이 작은 것부터 차례로 기호를 써 보세요.

㉠ 180 ÷ 30
㉡ 350 ÷ 50
㉢ 320 ÷ 80

(      ,      ,      )

㉠ 260 ÷ 50
㉡ 260 ÷ 40
㉢ 260 ÷ 30

(      ,      ,      )

㉠ 52 ÷ 13
㉡ 45 ÷ 15
㉢ 70 ÷ 14

(      ,      ,      )

㉠ 95 ÷ 20
㉡ 86 ÷ 17
㉢ 90 ÷ 24

(      ,      ,      )

㉠ 207 ÷ 23
㉡ 152 ÷ 19
㉢ 112 ÷ 16

(      ,      ,      )

㉠ 100 ÷ 13
㉡ 130 ÷ 25
㉢ 175 ÷ 28

(      ,      ,      )

🔖 나머지가 가장 큰 것에 ◯표 하세요.

| | | |
|---|---|---|
| $190 \div 20$ | $135 \div 40$ | $230 \div 30$ |

| | | |
|---|---|---|
| $295 \div 50$ | $460 \div 80$ | $250 \div 70$ |

| | | |
|---|---|---|
| $90 \div 12$ | $70 \div 31$ | $70 \div 21$ |

| | | |
|---|---|---|
| $87 \div 15$ | $66 \div 19$ | $65 \div 11$ |

| | | |
|---|---|---|
| $136 \div 18$ | $156 \div 16$ | $105 \div 14$ |

| | | |
|---|---|---|
| $210 \div 22$ | $220 \div 29$ | $212 \div 24$ |

🗂 나눗셈식으로 나타내고 답을 구해 보세요.

딸기 **72**개를 한 접시에 **12**개씩 담으려고 합니다. 접시는 모두 몇 개 필요할까요?

식 _____ 답 _____ 개

선우가 **256**쪽짜리 책을 매일 **32**쪽씩 읽으려고 합니다. 책을 모두 읽으려면 며칠 동안 읽어야 할까요?

식 _____ 답 _____ 일

공책이 **84**권 있습니다. 학생 한 명당 공책을 **13**권씩 나누어 주려고 합니다. 몇 명 까지 공책을 나누어 줄 수 있을까요?

식 _____ 답 _____ 명

사탕 **143**개를 한 상자에 **15**개씩 담아 포장하려고 합니다. 몇 상자까지 포장할 수 있을까요?

식 _____ 답 _____ 상자

🧱 나눗셈식으로 나타내고 답을 구해 보세요.

선물 상자 하나를 포장하는 데 끈이 60cm 필요합니다. 끈이 510cm 있다면 상자를 몇 개까지 포장하고, 끈은 몇 cm가 남을까요?

식 _____

답 _____ 개, 남는 끈의 길이 _____ cm

상자에 색종이가 178장 들어 있습니다. 학생 23명이 색종이를 똑같이 나누어 가진다면 한 명당 색종이를 몇 장까지 가질 수 있고, 색종이는 몇 장이 남을까요?

식 _____

답 _____ 장, 남는 색종이의 수 _____ 장

하루는 24시간입니다. 150시간은 며칠 몇 시간일까요?

식 _____

답 _____ 일, _____ 시간

나눗셈식을 잘못 계산하였습니다. 빈칸에 알맞은 수를 쓰고 바르게 계산해 보세요.

```
      4
16 ) 5 8
     6 4
```
➡ 16×4는 58보다
크므로 4를 □(으)로
고쳐야 합니다. ➡
```
16 ) 5 8
```

```
        6
21 ) 1 2 4
     1 2 6
```
➡ 21×6은 124보다
크므로 6을 □(으)로
고쳐야 합니다. ➡
```
21 ) 1 2 4
```

```
        8
14 ) 1 2 8
     1 1 2
       1 6
```
➡ 나머지 16은 □
(으)로 더 나눌 수
있으므로 8을 □
(으)로 고쳐야 합니다. ➡
```
14 ) 1 2 8
```

몫이 한 자리 수인 나눗셈에 ○표, 몫이 두 자리 수인 나눗셈에 △표 하세요.

| | |
|---|---|
| $90 \div 10$ | $110 \div 10$ |
| $120 \div 15$ | $180 \div 15$ |

나누는 수에 10을 곱하여 나누어지는 수와 비교합니다.

| | |
|---|---|
| $300 \div 30$ | $320 \div 40$ |
| $300 \div 60$ | $600 \div 50$ |

| | |
|---|---|
| $560 \div 70$ | $180 \div 20$ |
| $880 \div 80$ | $600 \div 40$ |

| | |
|---|---|
| $126 \div 18$ | $280 \div 14$ |
| $195 \div 13$ | $136 \div 17$ |

| | |
|---|---|
| $546 \div 26$ | $204 \div 34$ |
| $161 \div 23$ | $624 \div 39$ |

| | |
|---|---|
| $650 \div 65$ | $648 \div 72$ |
| $741 \div 57$ | $425 \div 85$ |

표를 완성하고 빈칸에 알맞은 수를 써넣으세요.

| × | 10 | 20 | 30 | 40 |
|---|---|---|---|---|
| 20 | 200 | 400 | | |

→ 500÷20의 몫은 [ 20 ] 보다 크고 [ 30 ] 보다 작습니다.

20×20=400 → 400÷20=20
20×30=600 → 600÷20=30

| × | 20 | 30 | 40 | 50 |
|---|---|---|---|---|
| 14 | | | | |

→ 600÷14의 몫은 [ ] 보다 크고 [ ] 보다 작습니다.

| × | 10 | 20 | 30 |
|---|---|---|---|
| 27 | | | |

→ 311÷27의 몫은 [ ] 보다 크고 [ ] 보다 작습니다.

| × | 10 | 20 | 30 |
|---|---|---|---|
| 34 | | | |

→ 856÷34의 몫은 [ ] 보다 크고 [ ] 보다 작습니다.

| × | 20 | 30 | 40 |
|---|---|---|---|
| 23 | | | |

→ 904÷23의 몫은 [ ] 보다 크고 [ ] 보다 작습니다.

# 두 자리 수로 나누기 (1)

🟦 빈칸에 알맞은 수를 써넣으세요.

$15 \times 10 = \boxed{150}$

$15 \times 20 = \boxed{\phantom{00}}$

$15 \times 30 = \boxed{\phantom{00}}$

→

$$\begin{array}{r} \boxed{2\ 4} \\ 15\,\overline{)\,3\ 6\ 0} \\ \boxed{3\ 0} \quad \leftarrow 15 \times 20 \\ \hline \boxed{6\ 0} \quad \leftarrow 360-300 \\ \boxed{6\ 0} \quad \leftarrow 15 \times 4 \\ \hline \boxed{0} \end{array}$$

360÷15의 몫은 20보다 크고 30보다 작으므로 몫의 십의 자리 수는 2입니다.

$360 \div 15 = \boxed{\phantom{00}}$

$23 \times 20 = \boxed{\phantom{00}}$

$23 \times 30 = \boxed{\phantom{00}}$

$23 \times 40 = \boxed{\phantom{00}}$

→

$$\begin{array}{r} \boxed{\phantom{00}} \\ 23\,\overline{)\,8\ 2\ 8} \\ \boxed{\phantom{000}} \\ \hline \boxed{\phantom{000}} \\ \boxed{\phantom{000}} \\ \hline \boxed{\phantom{0}} \end{array}$$

$828 \div 23 = \boxed{\phantom{00}}$

$36 \times 10 = \boxed{\phantom{00}}$

$36 \times 20 = \boxed{\phantom{00}}$

$36 \times 30 = \boxed{\phantom{00}}$

→

$$\begin{array}{r} \boxed{\phantom{00}} \\ 36\,\overline{)\,7\ 5\ 6} \\ \boxed{\phantom{000}} \\ \hline \boxed{\phantom{000}} \\ \boxed{\phantom{000}} \\ \hline \boxed{\phantom{0}} \end{array}$$

$756 \div 36 = \boxed{\phantom{00}}$

■ 계산해 보세요.

$$40 \overline{)640}$$

$$19 \overline{)570}$$

$$26 \overline{)650}$$

$$16 \overline{)976}$$

$$12 \overline{)648}$$

$$34 \overline{)578}$$

$$462 \div 22$$

$$810 \div 45$$

★ (세 자리 수)÷(두 자리 수)

$$17 \overline{)578}$$ ➡ $$\begin{array}{r} 3 \\ 17 \overline{)578} \\ 510 \end{array}$$ ➡ $$\begin{array}{r} 3\ 4 \\ 17 \overline{)578} \\ 510 \quad \small{-17 \times 30 = 510} \\ 68 \quad \small{-578 - 510 = 68} \\ 68 \quad \small{-17 \times 4 = 68} \\ 0 \quad \small{-68 - 68 = 0} \end{array}$$ ➡ $$\begin{array}{r} 3\ 4 \\ 17 \overline{)578} \\ 51 \\ 68 \\ 68 \\ 0 \end{array}$$

17×34=578이므로 계산 결과가 맞습니다.

# 두 자리 수로 나누기 (2)

📗 빈칸에 알맞은 수를 써넣으세요.

```
        [ ]
   50 ) 5 6 5
        5 0      ← 50×10
          6 5    ← 565-500
        [    ]    ← 50×1
          [ ]
```

```
        [ ]
   20 ) 7 5 6
        [    ]
        [    ]
        [    ]
          [ ]
```

```
        [ ]
   40 ) 9 2 1
        [    ]
        [    ]
        [    ]
          [ ]
```

```
        [ ]
   13 ) 5 9 0
        [  ]
        [    ]
        [    ]
          [ ]
```

```
        [ ]
   21 ) 5 6 6
        [  ]
        [    ]
        [    ]
          [ ]
```

```
        [ ]
   53 ) 8 2 0
        [  ]
        [    ]
        [    ]
          [ ]
```

```
        [ ]
   46 ) 7 6 7
        [  ]
        [    ]
        [    ]
          [ ]
```

```
        [ ]
   34 ) 6 8 5
        [  ]
          [ ]
```

```
        [ ]
   27 ) 8 2 3
        [  ]
          [ ]
```

📖 계산을 하고 몫과 나머지를 구해 보세요.

$42 \overline{)550}$  몫 ☐   나머지 ☐

$27 \overline{)593}$  몫 ☐   나머지 ☐

$853 \div 30$

몫 ☐  나머지 ☐

$483 \div 25$

몫 ☐  나머지 ☐

$928 \div 18$

몫 ☐  나머지 ☐

$695 \div 44$

몫 ☐  나머지 ☐

★ (세 자리 수)÷(두 자리 수)

$25 \overline{)587}$ ➡ $25 \overline{)\begin{array}{r}2\phantom{00} \\ 587 \\ 500\end{array}}$ ➡ $25 \overline{)\begin{array}{r}23\phantom{0} \\ 587 \\ 500 \\ \hline 87 \\ 75 \\ \hline 12\end{array}}$

- $25 \times 20 = 500$
- $587 - 500 = 87$
- $25 \times 3 = 75$
- $87 - 75 = 12$

➡ $25 \overline{)\begin{array}{r}23\phantom{0} \\ 587 \\ 50 \\ \hline 87 \\ 75 \\ \hline 12\end{array}}$

$25 \times 23 = 575$, $575 + 12 = 587$이므로 계산 결과가 맞습니다.

# 큰 수, 작은 수

 가장 큰 수를 가장 작은 수로 나눈 몫과 나머지를 구해 보세요.

| 30 | 40 | 350 | 400 |

몫 ☐ 나머지 ☐

| 565 | 605 | 80 | 60 |

몫 ☐ 나머지 ☐

| 21 | 18 | 470 | 430 |

몫 ☐ 나머지 ☐

| 15 | 259 | 13 | 295 |

몫 ☐ 나머지 ☐

| 850 | 32 | 805 | 23 |

몫 ☐ 나머지 ☐

| 25 | 891 | 36 | 858 |

몫 ☐ 나머지 ☐

몫이 가장 큰 것부터 차례로 기호를 써 보세요.

㉠ 640 ÷ 21

㉡ 640 ÷ 40

㉢ 640 ÷ 32

몫의 십의 자리를
어림해 봅니다.

(      ,      ,      )

㉠ 750 ÷ 30

㉡ 460 ÷ 30

㉢ 340 ÷ 30

(      ,      ,      )

㉠ 977 ÷ 32

㉡ 631 ÷ 15

㉢ 525 ÷ 26

(      ,      ,      )

㉠ 135 ÷ 12

㉡ 767 ÷ 35

㉢ 703 ÷ 23

(      ,      ,      )

㉠ 675 ÷ 31

㉡ 634 ÷ 55

㉢ 628 ÷ 33

(      ,      ,      )

㉠ 841 ÷ 25

㉡ 863 ÷ 41

㉢ 695 ÷ 34

(      ,      ,      )

■ 나눗셈식으로 나타내고 답을 구해 보세요.

> 학생 330명이 문화 체험을 하기 위해 15모둠으로 나누었습니다. 한 모둠에는 몇 명이 있을까요?

식 _____ 답 _____ 명

> 버스 1대에 32명이 탈 수 있습니다. 544명이 버스에 타려면 버스는 몇 대 있어야 할까요?

식 _____ 답 _____ 대

> 농장에서 토마토 564개를 수확했습니다. 토마토를 한 상자에 12개씩 담는다면 모두 몇 상자가 나올까요?

식 _____ 답 _____ 상자

> 1시간은 60분입니다. 840분은 몇 시간일까요?

식 _____ 답 _____ 시간

📘 나눗셈식으로 나타내고 답을 구해 보세요.

빵 하나를 만드는 데 밀가루 **65g**이 필요합니다. 밀가루 **760g**으로 빵을 몇 개까지 만들고, 밀가루는 몇 g이 남을까요?

식 _____

답 _____ 개, 남는 밀가루의 양 _____ g

승민이가 **362**쪽인 책을 매일 **25**쪽씩 읽으려고 합니다. **25**쪽씩 며칠 동안 읽고, 마지막 날에는 몇 쪽을 읽을까요?

식 _____

답 _____ 일, 마지막 날 _____ 쪽

1년은 12개월입니다. 800개월은 몇 년하고 몇 개월일까요?

식 _____

답 _____ 년, _____ 개월

나눗셈식을 잘못 계산하였습니다. 빈칸에 알맞은 수를 쓰고 바르게 계산해 보세요.

$$23\overline{)471} \quad \begin{array}{r} 2 \\ \hline 4\ 7\ 1 \\ 4\ 6 \\ \hline 1\ 1 \end{array}$$

➡ $23 \times \boxed{\phantom{00}} = 460$

이므로 몫은 $\boxed{\phantom{00}}$ 입니다.

➡ $$23\overline{)4\ 7\ 1}$$

$$15\overline{)608} \quad \begin{array}{r} 4 \\ \hline 6\ 0\ 8 \\ 6\ 0 \\ \hline 8 \end{array}$$

➡ $15 \times \boxed{\phantom{00}} = 600$

이므로 몫은 $\boxed{\phantom{00}}$ 입니다.

➡ $$15\overline{)6\ 0\ 8}$$

$$31\overline{)839} \quad \begin{array}{r} 2\ 6 \\ \hline 8\ 3\ 9 \\ 6\ 2 \\ \hline 2\ 1\ 9 \\ 1\ 8\ 6 \\ \hline 3\ 3 \end{array}$$

➡ 나머지 33은 $\boxed{\phantom{00}}$ (으)로 더 나눌 수 있으므로 몫은 $\boxed{\phantom{00}}$ 입니다.

➡ $$31\overline{)8\ 3\ 9}$$

# 5주차 | 몫과 나머지

계산해 보고 결과가 맞는지 확인해 보세요.

$280 \div 14 = \boxed{\phantom{00}}$

확인 $14 \times \boxed{\phantom{00}} = 280$

↑ 나누는 수 　↑ 몫 　↑ 나누어지는 수

$832 \div 32 = \boxed{\phantom{00}}$

확인 $\boxed{\phantom{0}} \times \boxed{\phantom{0}} = \boxed{\phantom{0}}$

$350 \div 12 = \boxed{\phantom{0}} \cdots \boxed{\phantom{0}}$

나누는 수 ↓ 　몫 ↓

확인 $\boxed{\phantom{0}} \times \boxed{\phantom{0}} = \boxed{\phantom{0}}$

$\boxed{\phantom{0}} + \boxed{\phantom{0}} = \boxed{\phantom{0}}$

↑ 나머지 　↑ 나누어지는 수

$658 \div 31 = \boxed{\phantom{0}} \cdots \boxed{\phantom{0}}$

확인 $\boxed{\phantom{0}} \times \boxed{\phantom{0}} = \boxed{\phantom{0}}$

$\boxed{\phantom{0}} + \boxed{\phantom{0}} = \boxed{\phantom{0}}$

$875 \div 75 = \boxed{\phantom{0}} \cdots \boxed{\phantom{0}}$

확인 $\boxed{\phantom{0}} \times \boxed{\phantom{0}} = \boxed{\phantom{0}}$

$\boxed{\phantom{0}} + \boxed{\phantom{0}} = \boxed{\phantom{0}}$

빈칸에 알맞은 수를 써넣으세요.

$\boxed{\phantom{000}} \div 20 = 4 \cdots 7$

20×4=80, 80+7=87

$\boxed{\phantom{000}} \div 14 = 7 \cdots 1$

$\boxed{\phantom{000}} \div 16 = 9 \cdots 8$

$\boxed{\phantom{000}} \div 31 = 5 \cdots 30$

$\boxed{\phantom{000}} \div 30 = 13 \cdots 15$

$\boxed{\phantom{000}} \div 20 = 37 \cdots 6$

$\boxed{\phantom{000}} \div 38 = 20 \cdots 25$

$\boxed{\phantom{000}} \div 12 = 43 \cdots 9$

$\boxed{\phantom{000}} \div 45 = 15 \cdots 32$

$\boxed{\phantom{000}} \div 19 = 30 \cdots 18$

$\boxed{\phantom{000}} \div 34 = 21 \cdots 2$

$\boxed{\phantom{000}} \div 25 = 27 \cdots 20$

# 어떤 수 구하기

📖 물음에 답하세요.

어떤 수를 11로 나누었더니 몫이 9이고 나머지가 10입니다. 어떤 수는 얼마일까요?

(                    )

어떤 수를 30으로 나누었더니 몫이 26이고 나머지가 20입니다. 어떤 수는 얼마일까요?

(                    )

어떤 수를 19로 나누었더니 몫이 12이고 나머지가 7입니다. 어떤 수는 얼마일까요?

(                    )

어떤 수를 27로 나누었더니 몫이 27이고 나머지가 16입니다. 어떤 수는 얼마일까요?

(                    )

어떤 수를 41로 나누었더니 몫이 23이고 나머지가 31입니다. 어떤 수는 얼마일까요?

(                    )

📖 ★은 어떤 나머지를 나타냅니다. 빈칸에 들어갈 수 있는 수 중 가장 큰 수를 써넣으세요.

$\boxed{101} \div 17 = 5 \cdots ★$

가장 큰 나머지가 얼마인지 구합니다.

$\boxed{\phantom{101}} \div 21 = 3 \cdots ★$

$\boxed{\phantom{101}} \div 26 = 4 \cdots ★$

$\boxed{\phantom{101}} \div 15 = 7 \cdots ★$

$\boxed{\phantom{101}} \div 30 = 12 \cdots ★$

$\boxed{\phantom{101}} \div 13 = 21 \cdots ★$

$\boxed{\phantom{101}} \div 13 = 45 \cdots ★$

$\boxed{\phantom{101}} \div 43 = 20 \cdots ★$

$\boxed{\phantom{101}} \div 29 = 21 \cdots ★$

$\boxed{\phantom{101}} \div 35 = 23 \cdots ★$

$\boxed{\phantom{101}} \div 63 = 11 \cdots ★$

$\boxed{\phantom{101}} \div 56 = 13 \cdots ★$

# 나누어지는 수와 나머지

📘 빈칸에 알맞은 수를 써넣으세요.

$300 \div 50 = \boxed{6}$

$301 \div 50 = \boxed{\phantom{0}} \cdots \boxed{\phantom{0}}$

$302 \div 50 = \boxed{\phantom{0}} \cdots \boxed{\phantom{0}}$

$303 \div 50 = \boxed{\phantom{0}} \cdots \boxed{\phantom{0}}$

$275 \div 25 = \boxed{\phantom{0}}$

$276 \div 25 = \boxed{\phantom{0}} \cdots \boxed{\phantom{0}}$

$277 \div 25 = \boxed{\phantom{0}} \cdots \boxed{\phantom{0}}$

$278 \div 25 = \boxed{\phantom{0}} \cdots \boxed{\phantom{0}}$

나누어지는 수가 1 커지면 나머지도 1 커집니다.

$677 \div 40 = \boxed{\phantom{0}} \cdots \boxed{\phantom{0}}$

$678 \div 40 = \boxed{\phantom{0}} \cdots \boxed{\phantom{0}}$

$679 \div 40 = \boxed{\phantom{0}} \cdots \boxed{\phantom{0}}$

$680 \div 40 = \boxed{\phantom{0}}$

$530 \div 13 = \boxed{\phantom{0}} \cdots \boxed{\phantom{0}}$

$531 \div 13 = \boxed{\phantom{0}} \cdots \boxed{\phantom{0}}$

$532 \div 13 = \boxed{\phantom{0}} \cdots \boxed{\phantom{0}}$

$533 \div 13 = \boxed{\phantom{0}}$

빈칸에 알맞은 수를 써넣으세요.

$450 \div 30 = \boxed{\phantom{00}}$

$449 \div 30 = \boxed{\phantom{00}} \cdots \boxed{\phantom{00}}$

$448 \div 30 = \boxed{\phantom{00}} \cdots \boxed{\phantom{00}}$

$447 \div 30 = \boxed{\phantom{00}} \cdots \boxed{\phantom{00}}$

나누어지는 수가 1 작아지면 나머지도 1 작아집니다.

$220 \div 11 = \boxed{\phantom{00}}$

$219 \div 11 = \boxed{\phantom{00}} \cdots \boxed{\phantom{00}}$

$218 \div 11 = \boxed{\phantom{00}} \cdots \boxed{\phantom{00}}$

$217 \div 11 = \boxed{\phantom{00}} \cdots \boxed{\phantom{00}}$

$363 \div 45 = \boxed{\phantom{00}} \cdots \boxed{\phantom{00}}$

$362 \div 45 = \boxed{\phantom{00}} \cdots \boxed{\phantom{00}}$

$361 \div 45 = \boxed{\phantom{00}} \cdots \boxed{\phantom{00}}$

$360 \div 45 = \boxed{\phantom{00}}$

$653 \div 26 = \boxed{\phantom{00}} \cdots \boxed{\phantom{00}}$

$652 \div 26 = \boxed{\phantom{00}} \cdots \boxed{\phantom{00}}$

$651 \div 26 = \boxed{\phantom{00}} \cdots \boxed{\phantom{00}}$

$650 \div 26 = \boxed{\phantom{00}}$

# 조건에 맞는 수 (1)

📖 물음에 답하세요.

---

100보다 크고 200보다 작은 수 중에서 50으로 나누었을 때 나누어떨어지는 수는 얼마일까요?

50×1=50, 50×2=100, 50×3=150, 50×4=200

(          )

---

550보다 크고 650보다 작은 수 중에서 60으로 나누었을 때 나누어떨어지는 수는 얼마일까요?

(          )

---

300보다 크고 350보다 작은 수 중에서 45로 나누었을 때 나누어떨어지는 수는 얼마일까요?

(          )

---

450보다 크고 500보다 작은 수 중에서 81로 나누었을 때 나누어떨어지는 수는 얼마일까요?

(          )

■ 물음에 답하세요.

100보다 크고 200보다 작은 수 중에서 70으로 나누었을 때 나머지가 1인 수는 얼마일까요?

나누어떨어지는 수를 먼저 구합니다.

(　　　　　　　　)

350보다 크고 400보다 작은 수 중에서 60으로 나누었을 때 나머지가 1인 수는 얼마일까요?

(　　　　　　　　)

200보다 크고 300보다 작은 수 중에서 80으로 나누었을 때 나머지가 가장 큰 수는 얼마일까요?

(　　　　　　　　)

500보다 크고 550보다 작은 수 중에서 40으로 나누었을 때 나머지가 가장 큰 수는 얼마일까요?

(　　　　　　　　)

# 조건에 맞는 수 (2)

🟦 조건에 맞는 나누어지는 수를 구해 보세요.

| 나눗셈식 | 몫 | 나머지 |
|---|---|---|
| 300÷60 | 5 | 0 |
| 301÷60 | 5 | 1 |
| 302÷60 | 5 | 2 |
| ⋮ | ⋮ | ⋮ |
| ☐÷60 | 5 | 7 |

300보다 큰 수 중에서 60으로 나누었을 때 나머지가 7이 되는 가장 작은 수는 얼마일까요?

(            )

| 나눗셈식 | 몫 | 나머지 |
|---|---|---|
| 500÷20 | 25 | 0 |
| 499÷20 | 24 | 19 |
| 498÷20 | 24 | 18 |
| ⋮ | ⋮ | ⋮ |
| ☐÷20 | 24 | 11 |

500보다 작은 수 중에서 20으로 나누었을 때 나머지가 11이 되는 가장 큰 수는 얼마일까요?

(            )

| 나눗셈식 | 몫 | 나머지 |
|---|---|---|
| 400÷15 | 26 | 10 |
| 401÷15 | 26 | 11 |
| 402÷15 | 26 | 12 |
| ⋮ | ⋮ | ⋮ |
| ☐÷15 | 27 | 0 |

400보다 큰 수 중에서 15로 나누었을 때 나누어떨어지는 가장 작은 수는 얼마일까요?

(            )

■ 조건에 맞는 나누어지는 수를 구해 보세요.

250보다 큰 수 중에서 50으로 나누었을 때 나머지가 10이 되는 가장 작은 수는 얼마일까요?

(         )

700보다 큰 수 중에서 25로 나누었을 때 나머지가 24가 되는 가장 작은 수는 얼마일까요?

(         )

600보다 작은 수 중에서 40으로 나누었을 때 나머지가 32가 되는 가장 큰 수는 얼마일까요?

(         )

560보다 작은 수 중에서 35로 나누었을 때 나머지가 29가 되는 가장 큰 수는 얼마일까요?

(         )

📖 조건에 맞는 나누어지는 수를 구해 보세요.

200보다 큰 수 중에서 70으로 나누었을 때 나누어떨어지는 가장 작은 수는 얼마
일까요?

(                    )

800보다 큰 수 중에서 23으로 나누었을 때 나누어떨어지는 가장 작은 수는 얼마
일까요?

(                    )

300보다 작은 수 중에서 11로 나누었을 때 나누어떨어지는 가장 큰 수는 얼마일
까요?

(                    )

500보다 작은 수 중에서 30으로 나누었을 때 나누어떨어지는 가장 큰 수는 얼마
일까요?

(                    )

정답

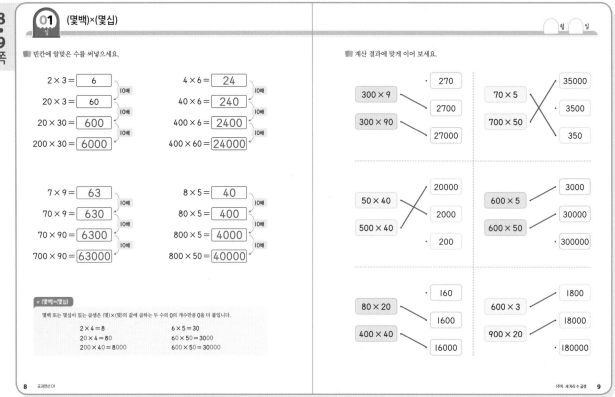

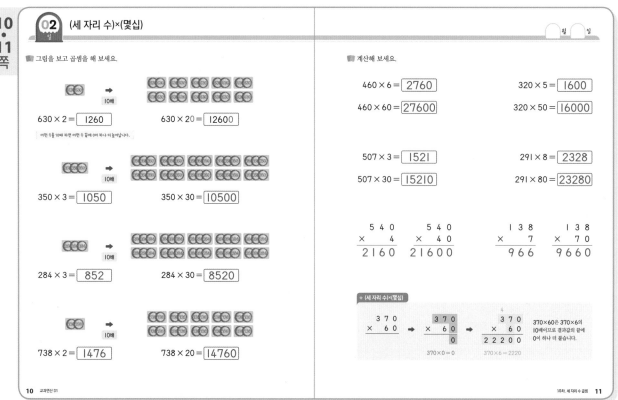

**03** (세 자리 수)×(몇십몇)

빈칸에 알맞은 수를 써넣으세요.

285 × 30 = 8550 → 285 × 34 = 8550 + 1140
285 × 4 = 1140         = 9690

285×34는 285를 34번 더하는 것이므로 285를 30번
더한 값과 285를 4번 더한 값을 합한 것과 같습니다.

430 × 50 = 21500 → 430 × 55 = 21500 + 2150
430 × 5 = 2150         = 23650

346 × 20 = 6920 → 346 × 23 = 6920 + 1038
346 × 3 = 1038        = 7958

824 × 10 = 8240 → 824 × 16 = 8240 + 4944
824 × 6 = 4944        = 13184

617 × 40 = 24680 → 617 × 48 = 24680 + 4936
617 × 8 = 4936         = 29616

빈칸에 알맞은 수를 써넣으세요.

```
    1 4 0        1 4 0              1 4 0
  ×   3 0      ×     8      →     ×   3 8
  4 2 0 0      1 1 2 0            1 1 2 0  …140×8
                                  4 2 0 0  …140×30
                                  5 3 2 0
```

```
    5 2 6        5 2 6              5 2 6
  ×   2 0      ×     3      →     ×   2 3
 1 0 5 2 0      1 5 7 8            1 5 7 8  …526× 3
                                 1 0 5 2 0  …526×20
                                 1 2 0 9 8
```

```
    4 0 9        4 0 9              4 0 9
  ×   4 0      ×     6      →     ×   4 6
 1 6 3 6 0      2 4 5 4            2 4 5 4  …409×6
                                 1 6 3 6 0  …409× 40
                                 1 8 8 1 4
```

---

**04** 두 수의 곱

계산해 보세요.

```
    1 8 0          5 0 5          3 8 1
  ×   6 1        ×   3 8        ×   7 2
    1 8 0          4 0 4 0          7 6 2
  1 0 8 0          1 5 1 5        2 6 6 7
 1 0 9 8 0        1 9 1 9 0      2 7 4 3 2
```

```
    2 7 0          8 1 3          5 4 3
  ×   4 5        ×   2 7        ×   5 2
    1 3 5 0          5 6 9 1        1 0 8 6
  1 0 8 0          1 6 2 6        2 7 1 5
 1 2 1 5 0        2 1 9 5 1      2 8 2 3 6
```

338 × 53 = 17914        530 × 62 = 32860

306 × 81 = 24786        293 × 56 = 16408

* (세 자리 수)×(몇십몇)

```
    1 8 2     1 8 2        1 8 2      →     1 8 2
  ×   3 0    ×     5     ×   3 5          ×   3 5  ←30+5
  5 4 6 0    9 1 0          9 1 0          9 1 0  ←182×5
                          5 4 6 0          5 4 6  ←182×30
                          6 3 7 0          6 3 7 0
```

실제 계산을 할 때는 계산상 편리함을 위해 일의 자리에 0의 표시를 생략합니다.
546은 5460에서 0이 생략된 182×30의 결과입니다.

곱셈식을 잘못 계산하였습니다. 바르게 계산해 보세요.

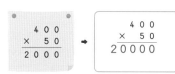

```
    4 0 0        →        4 0 0
  ×   5 0             ×   5 0
  2 0 0 0           2 0 0 0 0
```

```
    1 5 2        →        1 5 2
  ×   7 5             ×   7 5
    7 6 0              7 6 0
  1 0 6 4            1 0 6 4
  1 8 2 4           1 1 4 0 0
```

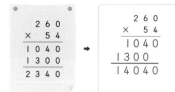

```
    2 6 0        →        2 6 0
  ×   5 4             ×   5 4
  1 0 4 0            1 0 4 0
  1 3 0 0            1 3 0 0
  2 3 4 0           1 4 0 4 0
```

## 16·17쪽

### 05 큰 수, 작은 수

■ 가장 큰 수와 가장 작은 수의 곱을 구해 보세요.

| 30 | 50 | 700 | 600 |
700×30=21000
( 21000 )

| 230 | 320 | 90 | 80 |
320×80=25600
( 25600 )

| 57 | 54 | 408 | 480 |
480×54=25920
( 25920 )

| 615 | 26 | 643 | 32 |
643×26=16718
( 16718 )

| 45 | 307 | 47 | 313 |
313×45=14085
( 14085 )

| 582 | 87 | 493 | 73 |
582×73=42486
( 42486 )

■ 수 카드를 한 번씩만 사용하여 가장 작은 세 자리 수와 가장 큰 두 자리 수를 만듭니다. 만든 두 수로 곱셈식을 만들고 계산해 보세요.

| 5 | 4 |
| 3 | 2 | 1 |

| 123 | × | 54 | = 6642

가장 작은 세 자리 수: 123
가장 큰 두 자리 수: 54

| 3 | 1 |
| 6 | 7 | 4 |

| 134 | × | 76 | = 10184

| 2 | 4 |
| 6 | 8 | 9 |

| 246 | × | 98 | = 24108

| 1 | 5 |
| 2 | 4 | 6 |

| 124 | × | 65 | = 8060

| 3 | 7 |
| 5 | 4 | 2 |

| 234 | × | 75 | = 17550

| 6 | 2 |
| 5 | 8 | 3 |

| 235 | × | 86 | = 20210

## 18쪽

■ 왼쪽 곱셈식과 계산 결과가 같은 것에 ○표 하세요.

| 600×90 | ⟨900×60⟩ | 800×80 | 700×80 |
6×9의 값에 0을 3개 더 붙입니다.
6×9=9×6

| 800×30 | 500×50 | 700×40 | ⟨600×40⟩ |
8×3의 값에 0을 3개 더 붙입니다.
8×3=6×4

| 270×40 | 470×20 | ⟨400×27⟩ | 370×30 |
27×4의 값에 0을 2개 더 붙입니다.
27×4=4×27

| 350×72 | 370×52 | 320×75 | ⟨720×35⟩ |
35×72의 값에 0을 1개 더 붙입니다.
35×72=72×35

| 240×25 | ⟨120×50⟩ | 245×20 | 200×65 |
24×25=600
12×50=600

**06 이야기하기 (1)**

월 일

📖 물음에 답하세요.

수민이는 500원짜리 동전을 27개 가지고 있습니다. 수민이가 가진 돈은 모두 얼마일까요?

식 $500 \times 27 = 13500$
또는 $27 \times 500 = 13500$
답 13500 원

달걀이 한 판에 30개 들어 있습니다. 달걀 245판에 들어 있는 달걀은 모두 몇 개일까요?

식 $245 \times 30 = 7350$
또는 $30 \times 245 = 7350$
답 7350 개

당근이 100g당 378원입니다. 당근 2kg은 얼마일까요?

1kg은 1000g입니다.

식 $378 \times 20 = 7560$
또는 $20 \times 378 = 7560$
답 7560 원

📖 물음에 답하세요.

연수는 문구점에서 630원짜리 색연필을 15자루 샀습니다. 색연필의 값은 모두 얼마일까요?

식 $630 \times 15 = 9450$
또는 $15 \times 630 = 9450$
답 9450 원

밭에서 감자를 수확하여 한 자루에 147개씩 63자루에 담았습니다. 자루에 담은 감자는 모두 몇 개일까요?

식 $147 \times 63 = 9261$
또는 $63 \times 147 = 9261$
답 9261 개

오징어 한 축은 20마리입니다. 오징어 436축이 있다면 오징어는 모두 몇 마리일까요?

식 $436 \times 20 = 8720$
또는 $20 \times 436 = 8720$
답 8720 마리

주한이는 8월 한 달 동안 매일 줄넘기를 185번씩 넘었습니다. 주한이는 한 달 동안 줄넘기를 모두 몇 번 넘었을까요?

식 $185 \times 31 = 5735$
또는 $31 \times 185 = 5735$
답 5735 번

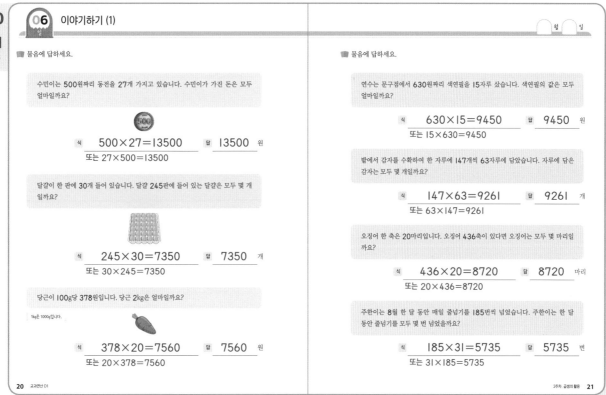

---

**07 이야기하기 (2)**

월 일

📖 물음에 답하세요.

고구마는 한 자루에 200개씩 36자루가 있고, 무는 한 자루에 148개씩 50자루가 있습니다. 고구마와 무 중 더 많은 것은 무엇일까요?

고구마: $200 \times 36 = 7200$(개)
무: $148 \times 50 = 7400$(개)

( 무 )

책상 1개를 만드는 데 못이 42개, 의자 1개를 만드는 데 못이 16개 필요합니다. 책상 160개와 의자 400개를 만들었습니다. 책상과 의자 중 못을 더 많이 사용한 것은 무엇일까요?

책상: $160 \times 42 = 6720$(개)
의자: $400 \times 16 = 6400$(개)

( 책상 )

공원 산책길 한 바퀴는 350m입니다. 두호는 산책길을 13바퀴 걸었고, 민아는 17바퀴 걸었습니다. 민아는 두호보다 몇 m 더 걸었을까요?

①두호: $350 \times 13 = 4550$(m)
민아: $350 \times 17 = 5950$(m)
$5950 - 4550 = 1400$(m)

②민아는 두호보다 4바퀴 더 걸었습니다.
$350 \times 4 = 1400$(m)

( 1400m )

사탕은 한 상자에 181개씩 50상자가 있고, 초콜릿은 한 상자에 240개씩 38상자가 있습니다. 사탕과 초콜릿 중 더 많은 것은 무엇이고, 몇 개 더 많을까요?

사탕: $181 \times 50 = 9050$(개)
초콜릿: $240 \times 38 = 9120$(개)
$9120 - 9050 = 70$(개)

( 초콜릿 , 70개 )

📖 물음에 답하세요.

남학생이 165명, 여학생이 142명 있습니다. 학생들에게 연필을 20자루씩 나누어 주었습니다. 학생들에게 나누어 준 연필은 모두 몇 자루일까요?

학생들이 모두 몇 명인지 구합니다.

( 6140자루 )

①학생은 $165 + 142 = 307$(명) 있습니다.
$307 \times 20 = 6140$(자루)

②남학생: $165 \times 20 = 3300$(자루)
여학생: $142 \times 20 = 2840$(자루)
$3300 + 2840 = 6140$(자루)

감자 25개와 고구마 15개를 한 상자에 담았습니다. 242상자에 담은 감자와 고구마는 모두 몇 개일까요?

( 9680개 )

①한 상자에 $25 + 15 = 40$(개) 있습니다.
$242 \times 40 = 9680$(개)

②감자: $242 \times 25 = 6050$(개)
고구마: $242 \times 15 = 3630$(개)
$6050 + 3630 = 9680$(개)

볼펜은 1자루에 300원, 색연필은 1자루에 450원입니다. 볼펜과 색연필을 각각 33자루씩 산다면 지불해야 할 돈은 몇 원일까요?

( 24750원 )

①볼펜과 색연필은 $300 + 450 = 750$(원)입니다.
$750 \times 33 = 24750$(원)

②볼펜: $300 \times 33 = 9900$(원)
색연필: $450 \times 33 = 14850$(원)
$9900 + 14850 = 24750$(원)

윤호는 1년 동안 매일 오전에 15분, 오후에 20분씩 걷기 운동을 했습니다. 1년을 365일로 계산한다면 윤호가 1년 동안 걷기 운동을 한 시간은 모두 몇 분일까요?

( 12775분 )

①하루에 $15 + 20 = 35$(분) 걷습니다.
$365 \times 35 = 12775$(분)

②오전: $365 \times 15 = 5475$(분)
오후: $365 \times 20 = 7300$(분)
$5475 + 7300 = 12775$(분)

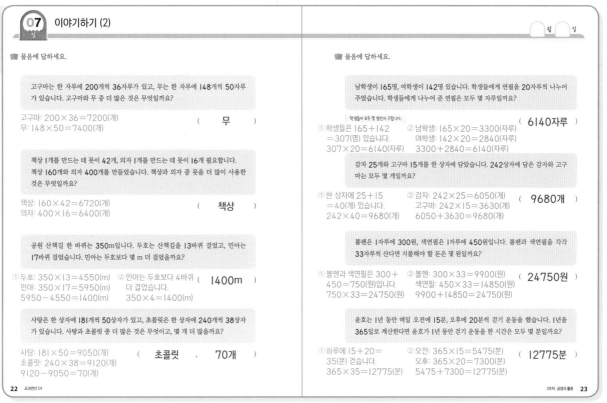

## 08 식 세워 해결하기 (1)

월 일

▦ 물음에 답하세요.

은수는 매일 우유를 120mL씩 3번 마십니다. 은수가 30일 동안 마시는 우유는 모두 몇 mL인지 표를 완성해 보세요.

|  | 식 | 우유 양 |
|---|---|---|
| 하루에 마시는 우유 | 120×3=360 | 360 mL |
| 30일 동안 마시는 우유 | 360×30=10800 | 10800 mL |

농장에 닭이 150마리 있습니다. 닭이 매일 달걀을 2개씩 낳는다면 25일 동안 낳는 달걀은 모두 몇 개인지 표를 완성해 보세요.

|  | 식 | 달걀 수 |
|---|---|---|
| 하루에 낳는 달걀 | 150×2=300 | 300 개 |
| 25일 동안 낳는 달걀 | 300×25=7500 | 7500 개 |

▦ 물음에 답하세요.

현준이는 매일 줄넘기를 100번씩 2번 넘습니다. 현준이는 45일 동안 줄넘기를 모두 몇 번 넘을까요?

하루에 줄넘기를 100×2=200(번) 넘습니다.
하루: 100×2=200(번)
45일: 200×45=9000(번)

( 9000번 )

밭에서 감자를 수확하는 데 한 번에 230개씩 하루에 3번 수확합니다. 14일 동안 수확한 감자는 모두 몇 개일까요?

하루: 230×3=690(개)
14일: 690×14=9660(개)

( 9660개 )

다현이네 반 학생 30명이 매일 책을 16쪽씩 읽습니다. 다현이네 반 학생들이 30일 동안 읽는 책은 모두 몇 쪽일까요?

하루: 30×16=480(쪽)
30일: 480×30=14400(쪽)

( 14400쪽 )

1시간은 60분, 1분은 60초입니다. 12시간은 몇 초일까요?

분: 12×60=720(분)
초: 720×60=43200(초)

( 43200초 )

## 09 식 세워 해결하기 (2)

월 일

▦ 물음에 답하세요.

식용유와 우유를 각각 15숟가락씩 버렸다면 오염된 물을 정화하는 데 필요한 물의 양은 모두 몇 L인지 표를 완성하고 답을 구해 보세요.

| 오염된 물을 정화하는 데 필요한 물의 양 | |
|---|---|
| 식용유 한 숟가락 | 202L |
| 우유 한 숟가락 | 281L |

|  | 식 | 물의 양 |
|---|---|---|
| 식용유 | 202×15=3030 | 3030 L |
| 우유 | 281×15=4215 | 4215 L |

식용유를 정화하는 데 필요한 물의 양과
우유를 정화하는 데 필요한 물의 양을 더합니다.

( 7245 )L

3030+4215=7245(L)

태양계에서 목성과 토성이 각각 태양 주위를 120바퀴 도는 데는 토성이 목성보다 몇 년 더 걸리는지 표를 완성하고 답을 구해 보세요.

태양 주위를 한 바퀴 도는 데 목성은 12년, 토성은 30년 걸립니다.

|  | 식 | 걸리는 시간 |
|---|---|---|
| 목성 | 120×12=1440 | 1440 년 |
| 토성 | 120×30=3600 | 3600 년 |

3600-1440=2160(년)

( 2160 )년

▦ 물음에 답하세요.

어른 23명과 어린이 35명이 박물관에 입장한다면 입장료가 모두 얼마인지 표를 완성하고 답을 구해 보세요.

| 박물관 입장료 | |
|---|---|
| 어른 | 600원 |
| 어린이 | 350원 |

|  | 식 | 입장료 |
|---|---|---|
| 어른 | 600×23=13800 | 13800 원 |
| 어린이 | 350×35=12250 | 12250 원 |

13800+12250=26050(원)

( 26050 )원

싱가포르 돈과 중국 돈을 한국 돈으로 바꾸는 가격입니다. 싱가포르 돈 30달러와 중국 돈 38위안을 한국 돈으로 바꾸면 모두 얼마일까요?

| 싱가포르 돈 1달러 | 한국 돈 850원 |
|---|---|
| 중국 돈 1위안 | 한국 돈 170원 |

|  | 식 | 한국 돈 |
|---|---|---|
| 싱가포르 | 850×30=25500 | 25500 원 |
| 중국 | 170×38=6460 | 6460 원 |

25500+6460=31960(원)

( 31960 )원

## 10 표 만들어 해결하기

월 일

■ 똑같은 두 수의 곱입니다. 표를 이용하여 두 수를 구해 보세요.

**두 수의 곱: 1024**

| 두 수 | 30 | 31 | 32 | 33 |
|---|---|---|---|---|
| | 30 | 31 | 32 | 33 |
| 두 수의 곱 | 900 | 961 | 1024 | 1089 |

( 32 , 32 )

30×30=900, 40×40=1600
1024와 가까운 (몇십)×(몇십)부터 찾습니다.

**두 수의 곱: 3969**

| 두 수 | 60 | 61 | 62 | 63 |
|---|---|---|---|---|
| | 60 | 61 | 62 | 63 |
| 두 수의 곱 | 3600 | 3721 | 3844 | 3969 |

( 63 , 63 )

**두 수의 곱: 2304** 50×50=2500이므로 50부터 1씩 줄여가며 곱해 봅니다.

| 두 수 | 50 | 49 | 48 | 47 |
|---|---|---|---|---|
| | 50 | 49 | 48 | 47 |
| 두 수의 곱 | 2500 | 2401 | 2304 | 2209 |

( 48 , 48 )

(몇십)×(몇십)에서 곱하는 두 수를 1씩 줄여갑니다.

표를 이용하는 방법은 여러 가지가 있습니다.

28 교과연산 D1

■ 표를 이용하여 두 수를 구해 보세요.

펼쳐진 책의 두 쪽수를 곱하였더니 552입니다. 두 쪽수를 구해 보세요.

| 왼쪽 수 | 20 | 21 | 22 | 23 |
|---|---|---|---|---|
| 오른쪽 수 | 21 | 22 | 23 | 24 |
| 두 수의 곱 | 420 | 462 | 506 | 552 |

( 23 쪽, 24 쪽 )

두 쪽수는 서로 이웃한 수입니다.

펼쳐진 책의 두 쪽수를 곱하였더니 2756입니다. 두 쪽수를 구해 보세요.

| 왼쪽 수 | 50 | 51 | 52 | 53 |
|---|---|---|---|---|
| 오른쪽 수 | 51 | 52 | 53 | 54 |
| 두 수의 곱 | 2550 | 2652 | 2756 | 2862 |

( 52 쪽, 53 쪽)

형과 동생의 나이 차는 2살입니다. 형과 동생의 나이를 곱하면 288입니다. 형과 동생의 나이를 각각 구해 보세요.
20×20=400이므로 20×18부터 1씩 줄여가며 곱해 봅니다.

| 형 | 20 | 19 | 18 | 17 |
|---|---|---|---|---|
| 동생 | 18 | 17 | 16 | 15 |
| 두 수의 곱 | 360 | 323 | 288 | 255 |

형: ( 18 )살
동생: ( 16 )살

표를 이용하는 방법은 여러 가지가 있습니다.

2주차 곱셈의 활용 29

---

■ 물음에 답하세요.

똑같은 두 수의 곱이 1444입니다. 두 수는 각각 얼마일까요?

| 두 수 | 40 | 39 | 38 |
|---|---|---|---|
| | 40 | 39 | 38 |
| 두 수의 곱 | 1600 | 1521 | 1444 |

( 38 , 38 )

펼쳐진 책의 두 쪽수를 곱하였더니 1806입니다. 두 쪽수는 각각 몇 쪽일까요?
40×40=1600

| 왼쪽 수 | 40 | 41 | 42 |
|---|---|---|---|
| 오른쪽 수 | 41 | 42 | 43 |
| 두 수의 곱 | 1640 | 1722 | 1806 |

( 42 쪽, 43 쪽)

펼쳐진 책의 두 쪽수를 곱하였더니 3306입니다. 두 쪽수는 각각 몇 쪽일까요?
60×60=3600

| 왼쪽 수 | 60 | 59 | 58 | 57 |
|---|---|---|---|---|
| 오른쪽 수 | 61 | 60 | 59 | 58 |
| 두 수의 곱 | 3660 | 3540 | 3422 | 3306 |

( 57 쪽, 58 쪽)

아버지와 어머니의 나이 차는 3살입니다. 아버지와 어머니의 나이를 곱하면 1638입니다. 아버지와 어머니의 나이는 각각 몇 살일까요? (단, 아버지는 어머니보다 나이가 많습니다.)
40×40=1600

| 아버지 | 40 | 41 | 42 |
|---|---|---|---|
| 어머니 | 37 | 38 | 39 |
| 두 수의 곱 | 1480 | 1558 | 1638 |

아버지: ( 42 )살   어머니: ( 39 )살

30 교과연산 D1

## 11 몇십으로 나누기

월 일

📖 빈칸에 알맞은 수를 써넣으세요.

$30 \times \boxed{5} = 150 \Rightarrow 150 \div 30 = \boxed{5}$

$$30\overline{)150} \quad \begin{array}{r} \boxed{5} \\ \hline 150 \\ \hline 0 \end{array}$$

30×1=30, 30×2=60 ─ 30×5=150

$40 \times \boxed{8} = 320 \Rightarrow 320 \div 40 = \boxed{8}$

$$40\overline{)320} \quad \begin{array}{r} \boxed{8} \\ \hline 320 \\ \hline 0 \end{array}$$

$60 \times \boxed{7} = 420 \Rightarrow 420 \div 60 = \boxed{7}$

$$60\overline{)420} \quad \begin{array}{r} \boxed{7} \\ \hline 420 \\ \hline 0 \end{array}$$

★ 곱셈과 나눗셈의 관계

나누는 수와 몫의 곱은 나누어지는 수와 같거나 더 작아야 합니다.

$$\begin{array}{r} 6 \\ 20\overline{)120} \\ 120 \\ \hline 0 \end{array} \quad \begin{array}{r} 6 \\ 20\overline{)135} \\ 120 \\ \hline 15 \end{array} \quad \begin{array}{r} 7 \\ 20\overline{)135} \\ 140 \,(\text{X}) \end{array} \quad \begin{array}{r} 5 \\ 20\overline{)135} \\ 100 \\ \hline 35 \,(\text{X}) \end{array}$$

20×6=120 | 20×6=120 | 나누는 수와 몫의 곱이 나누어 | 나머지는 나누는 수
 | 120+15=135 | 지는 수보다 크면 안됩니다. | 보다 작아야 합니다.

📖 빈칸에 알맞은 수를 써넣으세요.

$20 \times \boxed{6} = 120$
$20 \times \boxed{7} = 140$
$20 \times \boxed{8} = 160$

143은 20×7과 20×8 사이에 있습니다.

$$20\overline{)143} \quad \begin{array}{r} \boxed{7} \\ \hline 140 \\ \hline \boxed{3} \end{array} \quad 143 \div 20 = \boxed{7} \cdots \boxed{3}$$

$50 \times \boxed{5} = 250$
$50 \times \boxed{6} = 300$
$50 \times \boxed{7} = 350$

$$50\overline{)305} \quad \begin{array}{r} \boxed{6} \\ \hline 300 \\ \hline \boxed{5} \end{array} \quad 305 \div 50 = \boxed{6} \cdots \boxed{5}$$

$30 \times \boxed{7} = 210$
$30 \times \boxed{8} = 240$
$30 \times \boxed{9} = 270$

$$30\overline{)258} \quad \begin{array}{r} \boxed{8} \\ \hline 240 \\ \hline \boxed{18} \end{array} \quad 258 \div 30 = \boxed{8} \cdots \boxed{18}$$

$70 \times \boxed{3} = 210$
$70 \times \boxed{4} = 280$
$70 \times \boxed{5} = 350$

$$70\overline{)321} \quad \begin{array}{r} \boxed{4} \\ \hline 280 \\ \hline \boxed{41} \end{array} \quad 321 \div 70 = \boxed{4} \cdots \boxed{41}$$

32 교과연산 D1

33 3주차. 세 자리 수 나눗셈 (1)

---

## 12 몇십몇으로 나누기

월 일

📖 빈칸에 알맞은 수를 써넣으세요.

$15 \times 3 = \boxed{45}$
$15 \times 4 = \boxed{60}$
$15 \times 5 = \boxed{75}$

$$15\overline{)60} \quad \begin{array}{r} \boxed{4} \\ \hline 60 \\ \hline 0 \end{array} \quad 60 \div 15 = \boxed{4}$$

$26 \times 2 = \boxed{52}$
$26 \times 3 = \boxed{78}$
$26 \times 4 = \boxed{104}$

나누는 수와 몫의 곱은 82보다 클 수 없습니다.

$$26\overline{)82} \quad \begin{array}{r} \boxed{3} \\ \hline 78 \\ \hline \boxed{4} \end{array} \quad 82 \div 26 = \boxed{3} \cdots \boxed{4}$$

$35 \times 4 = \boxed{140}$
$35 \times 5 = \boxed{175}$
$35 \times 6 = \boxed{210}$

$$35\overline{)175} \quad \begin{array}{r} \boxed{5} \\ \hline 175 \\ \hline 0 \end{array} \quad 175 \div 35 = \boxed{5}$$

$21 \times 7 = \boxed{147}$
$21 \times 8 = \boxed{168}$
$21 \times 9 = \boxed{189}$

$$21\overline{)188} \quad \begin{array}{r} \boxed{8} \\ \hline 168 \\ \hline \boxed{20} \end{array} \quad 188 \div 21 = \boxed{8} \cdots \boxed{20}$$

📖 빈칸에 알맞은 수를 써넣으세요.

$$11\overline{)77} \quad \begin{array}{r} \boxed{7} \\ \hline 77 \\ \hline \boxed{0} \end{array} \qquad 23\overline{)92} \quad \begin{array}{r} \boxed{4} \\ \hline 92 \\ \hline \boxed{0} \end{array} \qquad 16\overline{)80} \quad \begin{array}{r} \boxed{5} \\ \hline 80 \\ \hline \boxed{0} \end{array} \qquad 13\overline{)78} \quad \begin{array}{r} \boxed{6} \\ \hline 78 \\ \hline \boxed{0} \end{array}$$

$$32\overline{)99} \quad \begin{array}{r} \boxed{3} \\ \hline 96 \\ \hline \boxed{3} \end{array} \qquad 14\overline{)76} \quad \begin{array}{r} \boxed{5} \\ \hline 70 \\ \hline \boxed{6} \end{array} \qquad 27\overline{)65} \quad \begin{array}{r} \boxed{2} \\ \hline 54 \\ \hline \boxed{11} \end{array} \qquad 19\overline{)81} \quad \begin{array}{r} \boxed{4} \\ \hline 76 \\ \hline \boxed{5} \end{array}$$

$$15\overline{)120} \quad \begin{array}{r} \boxed{8} \\ \hline 120 \\ \hline \boxed{0} \end{array} \qquad 22\overline{)154} \quad \begin{array}{r} \boxed{7} \\ \hline 154 \\ \hline \boxed{0} \end{array} \qquad 18\overline{)102} \quad \begin{array}{r} \boxed{5} \\ \hline 90 \\ \hline \boxed{12} \end{array}$$

$$34\overline{)220} \quad \begin{array}{r} \boxed{6} \\ \hline 204 \\ \hline \boxed{16} \end{array} \qquad 43\overline{)400} \quad \begin{array}{r} \boxed{9} \\ \hline 387 \\ \hline \boxed{13} \end{array} \qquad 47\overline{)262} \quad \begin{array}{r} \boxed{5} \\ \hline 235 \\ \hline \boxed{27} \end{array}$$

34 교과연산 D1

35 3주차. 세 자리 수 나눗셈 (1)

**8** 교과연산 D1

## 13 몫이 한 자리 수인 나눗셈

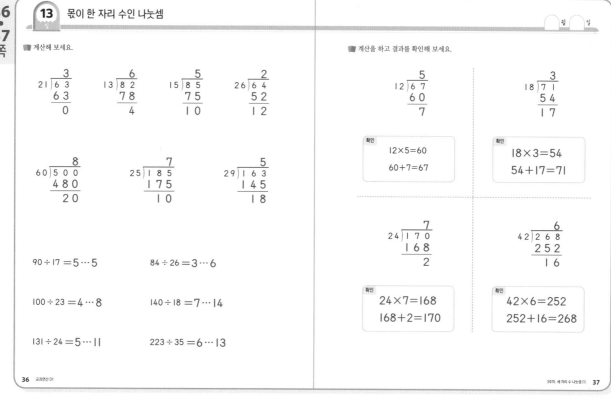

■ 계산해 보세요.

$$21\overline{)63}$$ 몫 3, 63, 0

$$13\overline{)82}$$ 몫 6, 78, 4

$$15\overline{)85}$$ 몫 5, 75, 10

$$26\overline{)64}$$ 몫 2, 52, 12

$$60\overline{)500}$$ 몫 8, 480, 20

$$25\overline{)185}$$ 몫 7, 175, 10

$$29\overline{)163}$$ 몫 5, 145, 18

$90 \div 17 = 5 \cdots 5$

$84 \div 26 = 3 \cdots 6$

$100 \div 23 = 4 \cdots 8$

$140 \div 18 = 7 \cdots 14$

$131 \div 24 = 5 \cdots 11$

$223 \div 35 = 6 \cdots 13$

■ 계산을 하고 결과를 확인해 보세요.

$$12\overline{)67}$$ 몫 5, 60, 7

확인
$12 \times 5 = 60$
$60 + 7 = 67$

$$18\overline{)71}$$ 몫 3, 54, 17

확인
$18 \times 3 = 54$
$54 + 17 = 71$

$$24\overline{)170}$$ 몫 7, 168, 2

확인
$24 \times 7 = 168$
$168 + 2 = 170$

$$42\overline{)268}$$ 몫 6, 252, 16

확인
$42 \times 6 = 252$
$252 + 16 = 268$

## 14 몫과 나머지

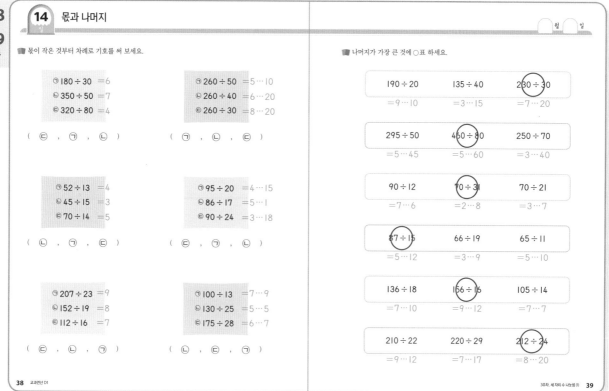

■ 몫이 작은 것부터 차례로 기호를 써 보세요.

㉠ $180 \div 30 = 6$
㉡ $350 \div 50 = 7$
㉢ $320 \div 80 = 4$

( ㉢ , ㉠ , ㉡ )

㉠ $260 \div 50 = 5 \cdots 10$
㉡ $260 \div 40 = 6 \cdots 20$
㉢ $260 \div 30 = 8 \cdots 20$

( ㉠ , ㉡ , ㉢ )

㉠ $52 \div 13 = 4$
㉡ $45 \div 15 = 3$
㉢ $70 \div 14 = 5$

( ㉡ , ㉠ , ㉢ )

㉠ $95 \div 20 = 4 \cdots 15$
㉡ $86 \div 17 = 5 \cdots 1$
㉢ $90 \div 24 = 3 \cdots 18$

( ㉢ , ㉠ , ㉡ )

㉠ $207 \div 23 = 9$
㉡ $152 \div 19 = 8$
㉢ $112 \div 16 = 7$

( ㉢ , ㉡ , ㉠ )

㉠ $100 \div 13 = 7 \cdots 9$
㉡ $130 \div 25 = 5 \cdots 5$
㉢ $175 \div 28 = 6 \cdots 7$

( ㉡ , ㉢ , ㉠ )

■ 나머지가 가장 큰 것에 ○표 하세요.

| $190 \div 20$ | $135 \div 40$ | ㉠$230 \div 30$ |
| $=9 \cdots 10$ | $=3 \cdots 15$ | $=7 \cdots 20$ |

| $295 \div 50$ | ㉠$460 \div 80$ | $250 \div 70$ |
| $=5 \cdots 45$ | $=5 \cdots 60$ | $=3 \cdots 40$ |

| $90 \div 12$ | ㉠$70 \div 31$ | $70 \div 21$ |
| $=7 \cdots 6$ | $=2 \cdots 8$ | $=3 \cdots 7$ |

| ㉠$87 \div 15$ | $66 \div 19$ | $65 \div 11$ |
| $=5 \cdots 12$ | $=3 \cdots 9$ | $=5 \cdots 10$ |

| $136 \div 18$ | ㉠$156 \div 16$ | $105 \div 14$ |
| $=7 \cdots 10$ | $=9 \cdots 12$ | $=7 \cdots 7$ |

| $210 \div 22$ | $220 \div 29$ | ㉠$212 \div 24$ |
| $=9 \cdots 12$ | $=7 \cdots 17$ | $=8 \cdots 20$ |

### 15 이야기하기

월 일

■ 나눗셈식으로 나타내고 답을 구해 보세요.

딸기 72개를 한 접시에 12개씩 담으려고 합니다. 접시는 모두 몇 개 필요할까요?

식 72÷12=6  답 6 개

선우가 256쪽짜리 책을 매일 32쪽씩 읽으려고 합니다. 책을 모두 읽으려면 며칠 동안 읽어야 할까요?

식 256÷32=8  답 8 일

공책이 84권 있습니다. 학생 한 명당 공책을 13권씩 나누어 주려고 합니다. 몇 명까지 공책을 나누어 줄 수 있을까요?

식 84÷13=6…6  답 6 명

사탕 143개를 한 상자에 15개씩 담아 포장하려고 합니다. 몇 상자까지 포장할 수 있을까요?

식 143÷15=9…8  답 9 상자

■ 나눗셈식으로 나타내고 답을 구해 보세요.

선물 상자 하나를 포장하는 데 끈이 60cm 필요합니다. 끈이 510cm 있다면 상자를 몇 개까지 포장하고, 끈은 몇 cm가 남을까요?

식 510÷60=8…30

답 8 개, 남는 끈의 길이 30 cm

상자에 색종이가 178장 들어 있습니다. 학생 23명이 색종이를 똑같이 나누어 가진다면 한 명당 색종이를 몇 장까지 가질 수 있고, 색종이는 몇 장이 남을까요?

식 178÷23=7…17

답 7 장, 남는 색종이의 수 17 장

하루는 24시간입니다. 150시간은 며칠 몇 시간일까요?

식 150÷24=6…6

답 6 일, 6 시간

■ 나눗셈식을 잘못 계산하였습니다. 빈칸에 알맞은 수를 쓰고 바르게 계산해 보세요.

```
     4
16 ) 5 8
     6 4
```
16×4는 58보다 ➡ 크므로 4를 3 (으)로 고쳐야 합니다.  ➡
```
     3
16 ) 5 8
     4 8
     1 0
```

```
     6
21 ) 1 2 4
     1 2 6
```
21×6은 124보다 ➡ 크므로 6을 5 (으)로 고쳐야 합니다.  ➡
```
     5
21 ) 1 2 4
     1 0 5
     1 9
```

```
     8
14 ) 1 2 8
     1 1 2
     1 6
```
나머지 16은 14 (으)로 더 나눌 수 있으므로 8을 9 (으)로 고쳐야 합니다.  ➡
```
     9
14 ) 1 2 8
     1 2 6
         2
```

## 16 몫의 범위

■ 몫이 한 자리 수인 나눗셈에 ○표, 몫이 두 자리 수인 나눗셈에 △표 하세요.

■ 표를 완성하고 빈칸에 알맞은 수를 써넣으세요.

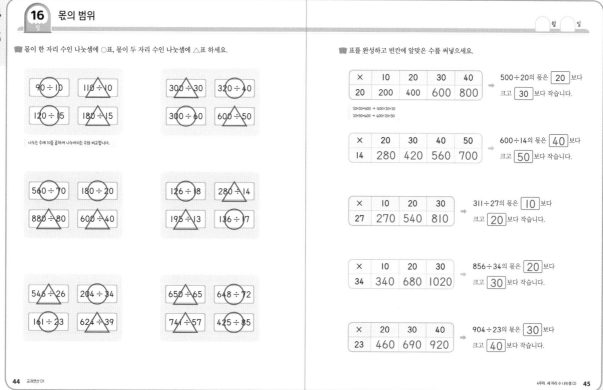

나누는 수에 10을 곱하여 나누어지는 수와 비교합니다.

| × | 10 | 20 | 30 | 40 |
|---|----|----|----|----|
| 20 | 200 | 400 | 600 | 800 |

20×20=400 → 400>20×20
20×30=600 → 600>20×30

➡ 500÷20의 몫은 [20] 보다 크고 [30] 보다 작습니다.

| × | 20 | 30 | 40 | 50 |
|---|----|----|----|----|
| 14 | 280 | 420 | 560 | 700 |

➡ 600÷14의 몫은 [40] 보다 크고 [50] 보다 작습니다.

| × | 10 | 20 | 30 |
|---|----|----|----|
| 27 | 270 | 540 | 810 |

➡ 311÷27의 몫은 [10] 보다 크고 [20] 보다 작습니다.

| × | 10 | 20 | 30 |
|---|----|----|----|
| 34 | 340 | 680 | 1020 |

➡ 856÷34의 몫은 [20] 보다 크고 [30] 보다 작습니다.

| × | 20 | 30 | 40 |
|---|----|----|----|
| 23 | 460 | 690 | 920 |

➡ 904÷23의 몫은 [30] 보다 크고 [40] 보다 작습니다.

## 17 두 자리 수로 나누기 (1)

■ 빈칸에 알맞은 수를 써넣으세요.

■ 계산해 보세요.

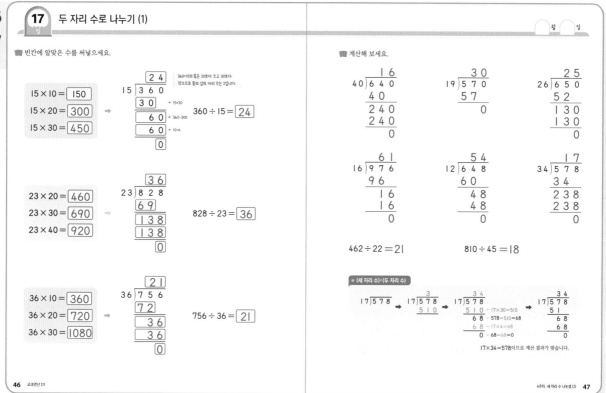

15 × 10 = [150]
15 × 20 = [300]
15 × 30 = [450]

360÷15의 몫은 20보다 크고 30보다 작으므로 몫의 십의 자리 수는 2입니다.

360 ÷ 15 = [24]

23 × 20 = [460]
23 × 30 = [690]
23 × 40 = [920]

828 ÷ 23 = [36]

36 × 10 = [360]
36 × 20 = [720]
36 × 30 = [1080]

756 ÷ 36 = [21]

462 ÷ 22 = [21]

810 ÷ 45 = [18]

★ (세 자리 수) ÷ (두 자리 수)

17×34=578이므로 계산 결과가 맞습니다.

정답

**48·49쪽**

## 18 두 자리 수로 나누기 (2)

월 일

■ 빈칸에 알맞은 수를 써넣으세요.

```
       1 1
50) 5 6 5
    5 0      ← 50×10
    6 5      ← 565-500
    5 0      ← 50×1
    1 5
```

```
       3 7
20) 7 5 6
    6 0
    1 5 6
    1 4 0
    1 6
```

```
       2 3
40) 9 2 1
    8 0
    1 2 1
    1 2 0
    1
```

```
       4 5
13) 5 9 0
    5 2
    7 0
    6 5
    5
```

```
       2 6
21) 5 6 6
    4 2
    1 4 6
    1 2 6
    2 0
```

```
       1 5
53) 8 2 0
    5 3
    2 9 0
    2 6 5
    2 5
```

```
       1 6
46) 7 6 7
    4 6
    3 0 7
    2 7 6
    3 1
```

```
       2 0
34) 6 8 5
    6 8
    5
```

```
       3 0
27) 8 2 3
    8 1
    1 3
```

■ 계산을 하고 몫과 나머지를 구해 보세요.

```
       1 3
42) 5 5 0      몫 [13]
    4 2
    1 3 0      나머지 [4]
    1 2 6
    4
```

```
       2 1
27) 5 9 3      몫 [21]
    5 4
    5 3        나머지 [26]
    2 7
    2 6
```

$853 \div 30 = 28 \cdots 13$

몫 [28]  나머지 [13]

$483 \div 25 = 19 \cdots 8$

몫 [19]  나머지 [8]

$928 \div 18 = 51 \cdots 10$

몫 [51]  나머지 [10]

$695 \div 44 = 15 \cdots 35$

몫 [15]  나머지 [35]

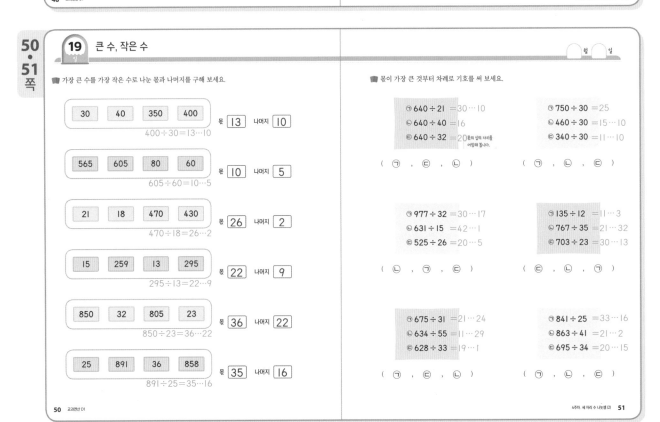

★ (세 자리 수)÷(두 자리 수)

$25\times 23=575, 575+12=587$이므로 계산 결과가 맞습니다.

48  교과연산 D1

4주차. 세 자리 수 나눗셈 (2)  49

**50·51쪽**

## 19 큰 수, 작은 수

월 일

■ 가장 큰 수를 가장 작은 수로 나눈 몫과 나머지를 구해 보세요.

| 30 | 40 | 350 | 400 | 몫 [13]  나머지 [10] |

$400 \div 30 = 13 \cdots 10$

| 565 | 605 | 80 | 60 | 몫 [10]  나머지 [5] |

$605 \div 60 = 10 \cdots 5$

| 21 | 18 | 470 | 430 | 몫 [26]  나머지 [2] |

$470 \div 18 = 26 \cdots 2$

| 15 | 259 | 13 | 295 | 몫 [22]  나머지 [9] |

$295 \div 13 = 22 \cdots 9$

| 850 | 32 | 805 | 23 | 몫 [36]  나머지 [22] |

$850 \div 23 = 36 \cdots 22$

| 25 | 891 | 36 | 858 | 몫 [35]  나머지 [16] |

$891 \div 25 = 35 \cdots 16$

■ 몫이 가장 큰 것부터 차례로 기호를 써 보세요.

㉠ $640 \div 21 = 30 \cdots 10$
㉡ $640 \div 40 = 16$
㉢ $640 \div 32 = 20$ 몫의 십의 자리를 어림해 봅니다.

( ㉠ , ㉢ , ㉡ )

㉠ $750 \div 30 = 25$
㉡ $460 \div 30 = 15 \cdots 10$
㉢ $340 \div 30 = 11 \cdots 10$

( ㉠ , ㉡ , ㉢ )

㉠ $977 \div 32 = 30 \cdots 17$
㉡ $631 \div 15 = 42 \cdots 1$
㉢ $525 \div 26 = 20 \cdots 5$

( ㉡ , ㉠ , ㉢ )

㉠ $135 \div 12 = 11 \cdots 3$
㉡ $767 \div 35 = 21 \cdots 32$
㉢ $703 \div 23 = 30 \cdots 13$

( ㉢ , ㉡ , ㉠ )

㉠ $675 \div 31 = 21 \cdots 24$
㉡ $634 \div 55 = 11 \cdots 29$
㉢ $628 \div 33 = 19 \cdots 1$

( ㉠ , ㉢ , ㉡ )

㉠ $841 \div 25 = 33 \cdots 16$
㉡ $863 \div 41 = 21 \cdots 2$
㉢ $695 \div 34 = 20 \cdots 15$

( ㉠ , ㉡ , ㉢ )

50  교과연산 D1

4주차. 세 자리 수 나눗셈 (2)  51

**12** 교과연산 D1

## 20 이야기하기

**나눗셈식으로 나타내고 답을 구해 보세요.**

학생 330명이 문화 체험을 하기 위해 15모둠으로 나누었습니다. 한 모둠에는 몇 명이 있을까요?

식 $330÷15=22$  답 $22$ 명

버스 1대에 32명이 탈 수 있습니다. 544명이 버스에 타려면 버스는 몇 대 있어야 할까요?

식 $544÷32=17$  답 $17$ 대

농장에서 토마토 564개를 수확했습니다. 토마토를 한 상자에 12개씩 담는다면 모두 몇 상자가 나올까요?

식 $564÷12=47$  답 $47$ 상자

1시간은 60분입니다. 840분은 몇 시간일까요?

식 $840÷60=14$  답 $14$ 시간

**나눗셈식으로 나타내고 답을 구해 보세요.**

빵 하나를 만드는 데 밀가루 65g이 필요합니다. 밀가루 760g으로 빵을 몇 개까지 만들고, 밀가루는 몇 g이 남을까요?

식 $760÷65=11⋯45$

답 $11$ 개, 남는 밀가루의 양 $45$ g

승민이가 362쪽인 책을 매일 25쪽씩 읽으려고 합니다. 25쪽씩 며칠 동안 읽고, 마지막 날에는 몇 쪽을 읽을까요?

식 $362÷25=14⋯12$

답 $14$ 일, 마지막 날 $12$ 쪽

1년은 12개월입니다. 800개월은 몇 년하고 몇 개월일까요?

식 $800÷12=66⋯8$

답 $66$ 년, $8$ 개월

---

**나눗셈식을 잘못 계산하였습니다. 빈칸에 알맞은 수를 쓰고 바르게 계산해 보세요.**

```
      2
23)4 7 1
   4 6
     1 1
```
→ $23×\boxed{20}=460$
이므로 몫은 $\boxed{20}$
입니다. →
```
       2 0
23)4 7 1
   4 6
     1 1
```

```
      4
15)6 0 8
   6 0
       8
```
→ $15×\boxed{40}=600$
이므로 몫은 $\boxed{40}$
입니다. →
```
       4 0
15)6 0 8
   6 0
       8
```

```
       2 6
31)8 3 9
   6 2
   2 1 9
   1 8 6
       3 3
```
→ 나머지 33은 $\boxed{31}$
(으)로 더 나눌 수
있으므로 몫은 $\boxed{27}$
입니다. →
```
       2 7
31)8 3 9
   6 2
   2 1 9
   2 1 7
         2
```

**56·57쪽**

**21** 계산 확인하기

월 일

■ 계산해 보고 결과가 맞는지 확인해 보세요.

$280 \div 14 = \boxed{20}$  확인 $14 \times \boxed{20} = 280$
나누는 수 — 몫 — 나누어지는 수

$832 \div 32 = \boxed{26}$  확인 $\boxed{32} \times \boxed{26} = \boxed{832}$

$350 \div 12 = \boxed{29} \cdots \boxed{2}$  확인 나누는 수 몫 $\boxed{12} \times \boxed{29} = \boxed{348}$
$\boxed{348} + \boxed{2} = \boxed{350}$
나머지 나누어지는 수

$658 \div 31 = \boxed{21} \cdots \boxed{7}$  확인 $\boxed{31} \times \boxed{21} = \boxed{651}$
$\boxed{651} + \boxed{7} = \boxed{658}$

$875 \div 75 = \boxed{11} \cdots \boxed{50}$  확인 $\boxed{75} \times \boxed{11} = \boxed{825}$
$\boxed{825} + \boxed{50} = \boxed{875}$

■ 빈칸에 알맞은 수를 써넣으세요.

$\boxed{87} \div 20 = 4 \cdots 7$
20×4=80, 80+7=87

$\boxed{99} \div 14 = 7 \cdots 1$

$\boxed{152} \div 16 = 9 \cdots 8$

$\boxed{185} \div 31 = 5 \cdots 30$

$\boxed{405} \div 30 = 13 \cdots 15$

$\boxed{746} \div 20 = 37 \cdots 6$

$\boxed{785} \div 38 = 20 \cdots 25$

$\boxed{525} \div 12 = 43 \cdots 9$

$\boxed{707} \div 45 = 15 \cdots 32$

$\boxed{588} \div 19 = 30 \cdots 18$

$\boxed{716} \div 34 = 21 \cdots 2$

$\boxed{695} \div 25 = 27 \cdots 20$

---

**58·59쪽**

**22** 어떤 수 구하기

월 일

■ 물음에 답하세요.

어떤 수를 11로 나누었더니 몫이 9이고 나머지가 10입니다. 어떤 수는 얼마일까요?
$\square \div 11 = 9 \cdots 10$
$11 \times 9 = 99$, $99 + 10 = 109$
( 109 )

어떤 수를 30으로 나누었더니 몫이 26이고 나머지가 20입니다. 어떤 수는 얼마일까요?
$\square \div 30 = 26 \cdots 20$
$30 \times 26 = 780$, $780 + 20 = 800$
( 800 )

어떤 수를 19로 나누었더니 몫이 12이고 나머지가 7입니다. 어떤 수는 얼마일까요?
$\square \div 19 = 12 \cdots 7$
$19 \times 12 = 228$, $228 + 7 = 235$
( 235 )

어떤 수를 27로 나누었더니 몫이 27이고 나머지가 16입니다. 어떤 수는 얼마일까요?
$\square \div 27 = 27 \cdots 16$
$27 \times 27 = 729$, $729 + 16 = 745$
( 745 )

어떤 수를 41로 나누었더니 몫이 23이고 나머지가 31입니다. 어떤 수는 얼마일까요?
$\square \div 41 = 23 \cdots 31$
$41 \times 23 = 943$, $943 + 31 = 974$
( 974 )

■ ★은 어떤 나머지를 나타냅니다. 빈칸에 들어갈 수 있는 수 중 가장 큰 수를 써넣으세요.

$\boxed{101} \div 17 = 5 \cdots ★$  16
가장 큰 나머지가 얼마인지 구합니다.
① $17 \times 5 = 85$, $85 + 16 = 101$
② 나머지가 가장 커야 하므로 1 더 큰 몫을 곱한 다음, 1을 빼도 됩니다.
$17 \times 6 = 102$, $102 - 1 = 101$

$\boxed{83} \div 21 = 3 \cdots ★$  20

$\boxed{129} \div 26 = 4 \cdots ★$  25

$\boxed{119} \div 15 = 7 \cdots ★$  14

$\boxed{389} \div 30 = 12 \cdots ★$  29

$\boxed{285} \div 13 = 21 \cdots ★$  12

$\boxed{597} \div 13 = 45 \cdots ★$  12

$\boxed{902} \div 43 = 20 \cdots ★$  42

$\boxed{637} \div 29 = 21 \cdots ★$  28

$\boxed{839} \div 35 = 23 \cdots ★$  34

$\boxed{755} \div 63 = 11 \cdots ★$  62

$\boxed{783} \div 56 = 13 \cdots ★$  55

## 23일 나누어지는 수와 나머지

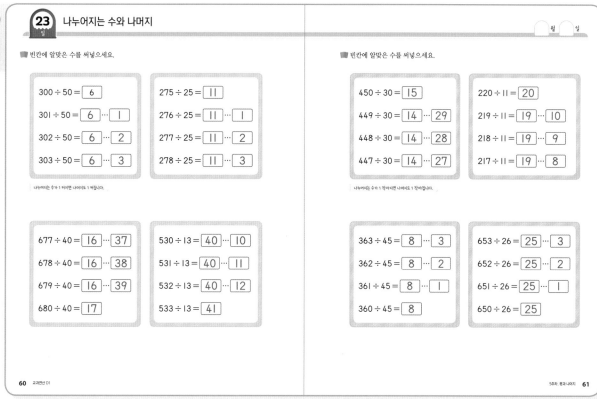

빈칸에 알맞은 수를 써넣으세요.

300 ÷ 50 = 6
301 ÷ 50 = 6 … 1
302 ÷ 50 = 6 … 2
303 ÷ 50 = 6 … 3

나누어지는 수가 1 커지면 나머지도 1 커집니다.

275 ÷ 25 = 11
276 ÷ 25 = 11 … 1
277 ÷ 25 = 11 … 2
278 ÷ 25 = 11 … 3

677 ÷ 40 = 16 … 37
678 ÷ 40 = 16 … 38
679 ÷ 40 = 16 … 39
680 ÷ 40 = 17

530 ÷ 13 = 40 … 10
531 ÷ 13 = 40 … 11
532 ÷ 13 = 40 … 12
533 ÷ 13 = 41

빈칸에 알맞은 수를 써넣으세요.

450 ÷ 30 = 15
449 ÷ 30 = 14 … 29
448 ÷ 30 = 14 … 28
447 ÷ 30 = 14 … 27

나누어지는 수가 1 작아지면 나머지도 1 작아집니다.

220 ÷ 11 = 20
219 ÷ 11 = 19 … 10
218 ÷ 11 = 19 … 9
217 ÷ 11 = 19 … 8

363 ÷ 45 = 8 … 3
362 ÷ 45 = 8 … 2
361 ÷ 45 = 8 … 1
360 ÷ 45 = 8

653 ÷ 26 = 25 … 3
652 ÷ 26 = 25 … 2
651 ÷ 26 = 25 … 1
650 ÷ 26 = 25

## 24일 조건에 맞는 수 (1)

물음에 답하세요.

100보다 크고 200보다 작은 수 중에서 50으로 나누었을 때 나누어떨어지는 수는 얼마일까요?

50×1=50, 50×2=100, 50×3=150, 50×4=200
( 150 )
50× □ 가 100보다 크고 200보다 작은 수를 구합니다.
50×3=150 → 150÷50=3

550보다 크고 650보다 작은 수 중에서 60으로 나누었을 때 나누어떨어지는 수는 얼마일까요?

60×9=540, 60×10=600, 60×11=660
( 600 )
60×10=600 → 600÷60=10

300보다 크고 350보다 작은 수 중에서 45로 나누었을 때 나누어떨어지는 수는 얼마일까요?

45×6=270, 45×7=315, 45×8=360
( 315 )
45×7=315 → 315÷45=7

450보다 크고 500보다 작은 수 중에서 81로 나누었을 때 나누어떨어지는 수는 얼마일까요?

81×5=405, 81×6=486, 81×7=567
( 486 )
81×6=486 → 486÷81=6

물음에 답하세요.

100보다 크고 200보다 작은 수 중에서 70으로 나누었을 때 나머지가 1인 수는 얼마일까요?

나누어떨어지는 수를 먼저 구합니다.
70×2=140 → 140÷70=2 → 141÷70=2…1
( 141 )

350보다 크고 400보다 작은 수 중에서 60으로 나누었을 때 나머지가 1인 수는 얼마일까요?

60×6=360 → 360÷60=6 → 361÷60=6…1
( 361 )

200보다 크고 300보다 작은 수 중에서 80으로 나누었을 때 나머지가 가장 큰 수는 얼마일까요?

80×3=240
→ 240÷80=3 → 239÷80=2…79
( 239 )

500보다 크고 550보다 작은 수 중에서 40으로 나누었을 때 나머지가 가장 큰 수는 얼마일까요?

40×13=520
→ 520÷40=13 → 519÷40=12…39
( 519 )

## 25 조건에 맞는 수 (2)

월 일

■ 조건에 맞는 나누어지는 수를 구해 보세요.

| 나눗셈식 | 몫 | 나머지 |
|---|---|---|
| 300÷60 | 5 | 0 |
| 301÷60 | 5 | 1 |
| 302÷60 | 5 | 2 |
| ⋮ | ⋮ | ⋮ |
| 307÷60 | 5 | 7 |

300보다 큰 수 중에서 60으로 나누었을 때 나머지가 7이 되는 가장 작은 수는 얼마일까요?

( 307 )

나머지가 7 더 커야 하므로 300에서 7을 더합니다.

| 나눗셈식 | 몫 | 나머지 |
|---|---|---|
| 500÷20 | 25 | 0 |
| 499÷20 | 24 | 19 |
| 498÷20 | 24 | 18 |
| ⋮ | ⋮ | ⋮ |
| 491÷20 | 24 | 11 |

500보다 작은 수 중에서 20으로 나누었을 때 나머지가 11이 되는 가장 큰 수는 얼마일까요?

( 491 )

9 더 작아야 하므로 500에서 9를 뺍니다.

| 나눗셈식 | 몫 | 나머지 |
|---|---|---|
| 400÷15 | 26 | 10 |
| 401÷15 | 26 | 11 |
| 402÷15 | 26 | 12 |
| ⋮ | ⋮ | ⋮ |
| 405÷15 | 27 | 0 |

400보다 큰 수 중에서 15로 나누었을 때 나누어떨어지는 가장 작은 수는 얼마일까요?

( 405 )

나머지가 5 더 크면 나누어떨어지므로 400에서 5를 더합니다.

■ 조건에 맞는 나누어지는 수를 구해 보세요.

250보다 큰 수 중에서 50으로 나누었을 때 나머지가 10이 되는 가장 작은 수는 얼마일까요?

250÷50=5는 나누어떨어집니다.(나머지 0)
나머지가 10이 되려면 250에서 10을 더합니다.

( 260 )

700보다 큰 수 중에서 25로 나누었을 때 나머지가 24가 되는 가장 작은 수는 얼마일까요?

700÷25=28은 나누어떨어집니다.
나머지가 24가 되려면 700에서 24를 더합니다.

( 724 )

600보다 작은 수 중에서 40으로 나누었을 때 나머지가 32가 되는 가장 큰 수는 얼마일까요?

600÷40=15는 나누어떨어집니다.
나누는 수가 40이므로 나머지가 32가 되려면
600에서 8을 뺍니다.

( 592 )

560보다 작은 수 중에서 35로 나누었을 때 나머지가 29가 되는 가장 큰 수는 얼마일까요?

560÷35=16은 나누어떨어집니다.
나누는 수가 35이므로 나머지가 29가 되려면
560에서 6을 뺍니다.

( 554 )

■ 조건에 맞는 나누어지는 수를 구해 보세요.

200보다 큰 수 중에서 70으로 나누었을 때 나누어떨어지는 가장 작은 수는 얼마일까요?

200÷70=2…60.
나머지가 10 더 크면 나누어떨어지므로
200에서 10을 더합니다.

( 210 )

800보다 큰 수 중에서 23으로 나누었을 때 나누어떨어지는 가장 작은 수는 얼마일까요?

800÷23=34…18.
나머지가 5 더 크면 나누어떨어지므로
800에서 5를 더합니다.

( 805 )

300보다 작은 수 중에서 11로 나누었을 때 나누어떨어지는 가장 큰 수는 얼마일까요?

300÷11=27…3.
나머지가 3 더 작으면 나누어떨어지므로
300에서 3을 뺍니다.

( 297 )

500보다 작은 수 중에서 30으로 나누었을 때 나누어떨어지는 가장 큰 수는 얼마일까요?

500÷30=16…20.
나머지가 20 더 작으면 나누어떨어지므로
500에서 20을 뺍니다.

( 480 )

하루 한 장 75일
집중 완성

# 교과 연산